mantenerse joven
comiendo sano

mantenerse joven comiendo sano

H KLICZKOWSKI

mantenerse joven
comiendo sano

Texto y selección de recetas de Jayne Tancred
(Naturópata, Diplomada en nutrición, Diplomada en
Medicina botánica, Diplomada en Homeopatía).

MANTENERSE JOVEN COMIENDO SANO

Todos queremos vivir hasta una avanzada edad –y estando además rebosantes de salud.

Sin duda, algunos aspectos de su salud se ven regidos por las características genéticas –pero puede que menos de lo que usted cree. Algunos expertos consideran que en la madurez nuestra salud se ve afectada en torno a un 20% por la herencia genética y en torno al 80% por los hábitos alimenticios y las decisiones que tomamos en cuanto a nuestro estilo de vida.

De modo que la buena noticia es que usted puede optimizar sus oportunidades para vivir una larga y saludable vida, y minimizar los efectos de la edad, simplemente eligiendo las mejores comidas.

Los científicos han estudiado las características de las comunidades y los individuos que han tenido una larga vida por todo el mundo, y han determinado las estrategias de alimentación más importantes para maximizar las posibilidades de disfrutar de una vida larga y saludable:

1 En lo que respecta a la energía es preferible consumir menos que más (i.e. menos calorías/kilojulios), y evitar los hidratos de carbono refinados y los azúcares simples.

2 Coma mucha fruta y verdura –le proporcionarán una cantidad abundante de antioxidantes siempre necesarios.

3 Escoja tipos de grasa saludables –especialmente grasas monosaturadas, y comidas ricas en ácidos grasos omega 3 y omega 6 (tales como el pescado y las nueces respectivamente), en lugar de grasas trans o saturadas (tales como las carnes y las comidas sometidas a un proceso industrial para su conservación).

4 Dé prioridad a las verduras y el pescado como fuente de proteínas, y consuma las proteínas de la carne con una frecuencia relativamente baja.

5 Beba alcohol con moderación.

Siguiendo estas cinco pautas básicas no sólo evitará muchos de los factores alimenticios que contribuyen al envejecimiento físico, sino que estará además optimizando su habilidad corporal para sobrellevar el estrés y las tensiones del día a día.

UNA APROXIMACIÓN A LOS ANTIOXIDANTES Y LOS RADICALES LIBRES

Una de las claves de su estrategia nutricional contra el envejecimiento reside en los antioxidantes que ayudan a minimizar los efectos de los radicales libres en su cuerpo. Si usted no está del todo seguro de lo que esto significa, no se preocupe, no es el único.

Un radical libre es una molécula con la capacidad de dañar a otras moléculas con las que entra en contacto por el hecho de que le falta un electrón, lo cual la convierte en desequilibrada e inestable. Se prepara para "robar" un electrón de repuesto de otra molécula con el fin de reestablecer su equilibrio. Durante el proceso despoja a la segunda molécula de un electrón, con lo que todo el proceso comienza de nuevo.

Los radicales libres desarrollan algunas funciones importantes en su cuerpo (sobre todo en lo que se refiere a la forma en que el cuerpo utiliza el oxígeno). El problema surge cuando se permite que la actividad de los radicales libres continúe sin obstáculos, dañando una célula tras otra. Si eso ocurre, toda esta volatilidad celular puede tener graves consecuencias para la salud, desempeñando un papel en muchas de las cuestiones de salud que asociamos al envejecimiento, entre ellas las cardiopatías, el cáncer, la diabetes, el Alzheimer y muchas otras.

Por fortuna, los antioxidantes son capaces de interrumpir la reacción en cadena de los radicales libres porque portan un electrón de sobra que pueden donar y que ayuda a la estabilización de un radical libre, previniendo así el daño potencial. Una dieta basada en una amplia variedad de frutas y verduras proporciona altos niveles de antioxidantes que protegen a las células, y consecuentemente le ayuda a protegerse de muchas de las dolencias del envejecimiento.

AGENTES QUE FAVORACEN LA ACTIVIDAD DE LOS RADICALES LIBRES.

- La polución (de las ciudades, los agentes industriales contaminantes, las sustancias químicas agrícolas).
- El consumo de tabaco.
- Las grasas trans (véase el cuadro de la pág. 9)
- El exceso de exposición solar.
- El exceso de ejercicio.
- El estrés.

NUTRIENTES ANTIOXIDANTES MÁS IMPORTANTES Y COFACTORES.

- Vitaminas C y E.
- El betacaroteno y otros carotenoides.
- El selenio.
- El zinc.
- Los flavonoides

Grasas saturadas: Se encuentran en alimentos como la mantequilla, el queso, la carne y los alimentos horneados como los pasteles, pastelitos y galletas, y es preferible prescindir de ellas. Resultan fácilmente identificables porque tienden a ser sólidas a temperatura ambiente, mientras que las grasas monosaturadas y poliinsaturadas son líquidas. Si las come en exceso (y mucha gente lo hace) pueden incrementar su riesgo de cardiopatía al incrementar su nivel de lipoproteína de baja densidad (LDL, al que también se le llama colesterol "malo"). También están relacionadas con la obesidad y el cáncer. El aceite de coco constituye una excepción a la regla puesto que tiene una configuración molecular distinta a la de las grasas saturadas de los animales y en consecuencia se procesa de modo diferente en el cuerpo.

Grasas monosaturadas: Las grasas monosaturadas tienen un efecto profiláctico frente a las enfermedades cardiovasculares al reducir el LDL al tiempo que mantienen o aumentan ligeramente el colesterol "bueno": lipoproteína de alta densidad (HDL). Se considera que desempeñan un papel fundamental en la célebre longevidad de los que siguen una dieta mediterránea. El aceite de oliva es, probablemente, el que tiene un uso más extendido, pero los aceites de aguacate, nuez y canola (aceite de colza canadiense) tam-

bién contienen porcentajes significativos de grasas monosaturadas.

Poliinsaturadas: también tienen efectos profilácticos para el corazón (y los vasos sanguíneos), puesto que tienden a contener ácidos grasos esenciales, los cuales pueden convertirse en el organismo en compuestos de acción antiinflamatoria y que diluyen la sangre. Los ácidos grasos omega 3 se encuentran fundamentalmente en los peces de las profundidades marinas, pero también están presentes en algunos frutos secos y semillas, entre ellas las de nogal, lino y canola. Los ácidos grasos omega 6 también se encuentran en semillas —el aceite de semilla de uva constituye una fuente excelente.

Grasas trans: Se forman cuando los aceites sufren el proceso de conversión de su estado líquido natural a una sustancia sólida. Como consecuencia se produce un daño molecular que transforma un aceite que anteriormente era saludable en un componente pernicioso, volátil y generador de radicales libres. Son una de las principales fuentes alimenticias de los radicales libres perniciosos y entre otras consecuencias se las ha relacionado con las cardiopatías y la diabetes. Para evitar las grasas trans en su dieta manténgase alejado de cualquier producto cuya lista de ingredientes incluya grasas o aceites hidrogenados.

A continuación se ofrecen algunos ejemplos destacados en cuanto a cómo las pautas anteriores le ayudarán a parecer y sentirse joven y con vitalidad:

- Manteniendo un consumo de calorías relativamente bajo y evitando los hidratos de carbono refinados y las formas de grasa insalubres, las anteriores estrategias de alimentación le ayudarán a mantener o a conseguir un peso saludable. Esto es especialmente importante puesto que la obesidad (sobre todo en los inicios de la edad adulta) tiende de forma significativa a acortar la esperanza de vida. Además tener sobrepeso o ser obeso hace que aumente el riego de diabetes, cardiopatías y algunas formas de cáncer —entre

otras afecciones. Por supuesto hacer ejercicio con frecuencia y de forma moderada resulta también crucial a este respecto, pero un control adecuado de la alimentación supone un avance fundamental en la buena dirección.

- Con una dieta que sea rica en grasas monosaturadas y ácidos grasos omega 3, pero que evite las grasas saturadas, es bastante probable que su nivel de lipoproteína de baja densidad (LDL, al que a veces se llama colesterol "malo") se reduzca. Comer mucha fruta y verdura implica que usted estará adquiriendo potasio en buena medida, lo cual le ayuda a mantener una presión sanguínea baja y ácido fólico para reducir los niveles de homocisteína en la sangre –más, también, una plétora de antioxidantes. Todos estos factores en conjunto dan lugar a un corazón y unos vasos sanguíneos más sanos –con lo que tendrá menos probabilidad de tener un ataque al corazón u otras formas de enfermedad cardiovascular (que constituyen la primera causa de muerte en el mundo occidental). También reducirá el riesgo de padecer otras enfermedades propias de una edad avanzada relacionadas con la discapacidad respiratoria. Estas incluyen la pérdida de visión debida a una degeneración macular relacionada con la edad, algunas formas de pérdida de memoria y algunas formas de impotencia.

• Los ácidos grasos Omega 3 ejercen un efecto antiinflamatorio en el organismo, especialmente en las articulaciones –de modo que el consumo frecuente de pescado ayuda a reducir el impacto del uso y desgaste de las articulaciones y el dolor y la inflamación de la osteoartritis. El pescado también proporciona vitamina D; un nutriente relativamente poco común en los alimentos, pero que desempeña algunas funciones esenciales, entre ellas ayudar a la absorción del calcio y prevenir la osteoporosis.

• Este plan de alimentación rico en antioxidantes tiene abundantes nutrientes valiosos que su sistema inmune necesita para combatir mejor las infecciones y evitar el cáncer.

• Al dar importancia a los cereales integrales, las legumbres, la fruta y la verdura, está forma de alimentación proporciona grandes cantidades de diferentes tipos de fibra, incluyendo fibra soluble e insoluble, mucílago, pectinas y lignanos. De manera que ayuda a mantener la regularidad intestinal, a eliminar toxinas y residuos, y disminuye sus probabilidades de contraer cáncer intestinal o de mama.

Por supuesto su dieta no es la única clave para gozar de una larga vida. Querrá también dar otros pasos que refuercen su salud frente al envejecimiento. Hacer ejercicio moderado y con regularidad resulta vital, como también lo es el dejar de fumar si es que todavía no lo ha hecho –es bien sabido que le resta años de esperanza de vida y que va deteriorando su salud y aspecto progresivamente. Tome medidas para minimizar su exposición a agentes contaminantes de cualquier tipo (incluyendo la polución industrial, las sustancias químicas agrícolas y los fármacos recreativos), y encuentre también formas de reducir el impacto del estrés en su organismo.

desayuno

CONCENTRADO DE CIRUELA Y CIRUELA SECA

Tiempo de preparación: 10 minutos
Tiempo de cocción: cero
Raciones: 4

200 gr. de ciruelas, deshuesadas y cortadas.
150 gr. de ciruelas secas deshuesadas y cortadas.
250 gr. de yogurt de vainilla desnatado.
125 ml. de suero de leche.
310 ml. de leche desnatada o enriquecida con calcio.
8 cubitos de hielo grandes.

1 Batir las ciruelas, las ciruelas secas, el yogurt, el suero de leche, la leche y los cubitos en la licuadora hasta que quede cremoso.

MACEDONIA DE FRUTAS CON LIMONCILLO Y JENGIBRE

Tiempo de preparación: 20 minutos
Tiempo de cocción: 10 minutos
Raciones: 4

55 gr. de azúcar en polvo.
Un trozo de jengibre fresco de 2x2 cm., cortado fino.
1 tallo de limoncillo partido en dos y machacado.
La pulpa de una fruta de la pasión grande.
1 asimina roja de Fiyi.
½ melón (dulce).
1 mango grande.
1 piña pequeña.
12 lichis frescos.
1 puñado de menta cortada para servir.

1 Coloque el azúcar, el jengibre y el limoncillo en un cazo pequeño. Añada 125 ml. de agua y remueva a fuego lento para disolver el azúcar. Hierva durante 5 minutos o hasta que se reduzca a 80 ml. (o unas 4 cucharadas soperas), a continuación déjelo enfriar. Cuele el sirope y añada la pulpa de la fruta de la pasión.

2 Pele y quite las pepitas de la asimina y el melón; córtelos en cubitos de 4 cm. Pele el mango y córtelo también en cubitos desechando el hueso. Pele y divida la piña, quítele el corazón y córtela en cubitos. Pele los lichis, luego haga un pequeño corte en la carne y saque el hueso.

3 Si no se encuentran los lichis frescos, se pueden usar lichis en conserva. Sírvase con yogurt para conseguir un extra de proteina y calcio.

TORTILLA DE ESPÁRRAGOS, SALMÓN AHUMADO Y ENELDO

Tiempo de preparación: 10 minutos
Tiempo de cocción: 10 minutos
Raciones: 2

6 claras de huevo.
6 huevos.
2 cucharadas soperas de ricota desnatada.
2 cucharadas soperas de eneldo fresco cortado.
420 gr. de espárragos frescos, cortados en trocitos de 5 cm.
100 gr. de salmón ahumado, cortado muy fino.
Cuñas de limón para aderezar.
Ramitas de eneldo.

① Batir las claras a punto de nieve en un recipiente a parte; bata los huevos enteros y la ricota. Añada las claras. Salpimentar y mezclar con el eneldo.

② Ponga a hervir en un cazo agua con un poco de sal. Añada los espárragos y deje que se hagan de uno a dos minutos o hasta que estén tiernos. Escúrralos y enfríelos con agua helada.

③ Ponga a calentar a fuego lento una sartén antiadherente de 24 cm. con un chorrito de aceite. Vierta la mitad de la mezcla de huevo y coloque la mitad de los espárragos encima. Cocine a fuego medio hasta que el huevo esté listo. Déle la vuelta y póngalo en un plato. Repita la operación con lo que queda de huevo y espárragos.

④ Para servir corone las tortillas con el salmón ahumado y aderece con las cuñas de limón y las ramitas de eneldo.

PANECILLOS CON ESPINACAS, REQUESÓN Y JUDÍAS COCIDAS

Tiempo de preparación: 10 minutos
Tiempo de cocción: 10 minutos
Raciones: 4

425 gr. de alubias cocidas de lata.
200 gr. de hojas de espinaca inglesa "baby".
4 panecillos (bagels) partidos por la mitad
250 gr. de requesón desnatado.
2 tomates, en rodajas, para servir con el plato.

① Ponga a calentar las alubias cocidas en un cazo pequeño a fuego medio durante tres minutos, o hasta que estén templadas.

② Coloque las espinacas lavadas en un cazo mediano, tápelas y caliente a fuego medio durante dos minutos, o hasta que encojan.

③ Tueste las mitades de los panecillos y cúbralas con el requesón y las espinacas. Sirva las judías encima y sazónelo con pimienta negra molida. Sírvalo con los trozos de tomate para tener un extra de antioxidantes y de sabor.

NOTA: Muchos grandes supermercados venden distintos tipos de panecillos, entre ellos el de pan integral de centeno, el integral y variantes con semillas de amapola. Si usted incluye las judías cocidas y otras legumbres en su dieta de forma regular es menos probable que éstas le den gases.

MARATHON MUESLI

Tiempo de preparación: 10 minutos
Tiempo de cocción: 5 minutos
Raciones: 6

30 gr. de almendras peladas.
200 gr. de copos de avena crudos.
60 gr. de cereales de salvado procesado.
40 gr. de copos de centeno.
40 gr. pipas de calabaza.
2 cucharadas soperas de pipas de girasol.
1 cucharada sopera de aceite de linaza.
90 gr. de pasas sultanas.
185 gr. de orejones picados.
90 gr. de pera desecada picada.
Miel baja en calorías, yogur o leche desnatada para servir.

1 Precaliente el horno a 160ºC. Coloque las almendras en una bandeja de horno hasta que estén doradas. Retírelas y déjelas a parte.

2 Coloque los copos de avena, los cereales de salvado procesados, los copos de centeno, las pipas de calabaza, las pipas de girasol y el aceite de linaza en un cuenco. Remueva bien. Añada las pasas, los orejones y la pera desecada, así como las almendras tostadas.

3 Sírvalo con miel, yogurt o leche desnatada. Si queda algo de muesli guárdelo en un recipiente hermético (hasta dos semanas).

PAN DE SALVADO DE OREJONES Y PASAS

Tiempo de preparación: 10 minutos
Tiempo de cocción: 55 min. + 30 min. a remojo
Raciones: 6-8

150 gr. de albaricoques secos (orejones) cortados.
160 gr. de pasas.
70 gr. de cereal de salvado procesado.
95 gr. de azúcar moreno ligera.
375 ml. de leche templada.
125 gr. de harina con levadura, tamizada.
75 gr. de harina integral con levadura, tamizada.
1 cucharita de postre de especias variadas.

1 Precaliente el horno a 180ºC. Unte un molde rectangular profundo de 18'5 x 11 cm. y cubra la base y los lados con papel para hornear.

2 Ponga a remojo en la leche los orejones, las pasas, el cereal de salvado y el azúcar moreno, en un cuenco grande durante 30 minutos o hasta que la leche se haya absorbido casi el todo. Mézclelo con las harinas y las especias variadas para formar una pasta rígida y húmeda. Rellene el molde con la mezcla y alise la superficie.

3 Hornee durante 50 minutos o hasta que un pincho salga limpio tras insertarlo en el centro de la masa. Cúbralo con papel de aluminio mientras se hace si ve que se tuesta demasiado. Déjelo en el molde 10 minutos, luego sáquelo y páselo a una rejilla de metal para que enfríe. Córtelo en rebanadas finas. Si lo desea puede servirlo con mantequilla y espolvorear azúcar glaseada.

NOTA: Puede usar cualquier combinación de fruta desecada. Este pan resulta delicioso tostado.

¿QUIERE UN DESAYUNO QUE LE DÉ ENERGÍAS DURANTE TODO EL DÍA?

Combinar las proteínas y los hidratos de carbono complejos en el desayuno constituye un gran refuerzo energético –y le ayudará a librarse de esos bajones de energía a media mañana. El panecillo con judías cocidas, requesón y espinacas es un buenísimo ejemplo.

COMPOTA DE FRUTAS

Tiempo de preparación: 15 minutos

Tiempo de cocción: 10 minutos

Raciones: 4

75 gr. de orejones troceados.
75 gr. de peras o mango desecado troceados.
75 gr. de cereza o arándano desecado.
50 gr. de dátiles deshuesados desecados, partidos por la mitad.
25 gr. de pasas o pasas de Corinto.
250 ml. de zumo de manzana o agua.
1 palillo del cinamomo.
½ vaina de vainilla abierta.
2 trozos de tallo de jengibre picado muy fino.

1 Coloque las frutas desecadas en un cazo y añada el zumo de manzana o el agua, el palillo de cinamomo y la vaina de vainilla. Póngalo a hervir, tápelo y deje que hierva a fuego lento durante diez minutos.

2 Aparte el cazo del fuego, añada el jengibre y deje enfriar. Pase la compota a un cuenco con tapa o a un recipiente hermético y métalo en la nevera, donde durará, por lo menos, una semana. Sirva con una cucharada abundante de yogurt o muesli de buena calidad para disfrutar de un desayuno nutritivo.

ZUMO DE FRUTAS RECIEN EXPRIMIDAS (PARA EL DESAYUNO)

Tiempo de preparación: 2 minutos

Tiempo de cocción: cero

Raciones: 4

½ piña troceada
1 ½ tazas (375 ml.) de zumo de naranja.
1 pera grande, cortada.
1 plátano, cortado.
40 gr. de asimina cortada.

1 Batir la piña con el zumo de naranja, la pera, el plátano y la asimina hasta que quede cremoso. Servir inmediatamente.

¿POR QUÉ COMENZAR EL DÍA CON FRUTA?

La fruta le ayuda a protegerse del cáncer y reduce el riesgo de pérdida de visión por degeneración macular relacionada con la edad. De hecho, hay estudios que muestran que la gente que toma, por lo menos, tres piezas de fruta al día tiene alrededor de un tercio menos de posibilidades de desarrollar una degeneración macular, frente a aquellos que sólo toman la mitad de esa cantidad. Para una actividad antioxidante de amplio-espectro incluya distintos tipos de fruta en su dieta cotidiana.

comida

MINESTRONE

Tiempo de preparación:	30 minutos
Tiempo de cocción:	2 horas 30 minutos
Raciones:	8

1 cucharada sopera de aceite de oliva.
1 cebolla, cortada muy fina.
2 cabezas de ajo machacadas.
2 zanahorias cortadas en dados.
2 patatas cortadas en dados.
2 tallos de apio, cortados muy finos.
2 calabacines, cortados muy finos.
125 gr. de judías verdes, cortadas.
2 tazas de repollo cortado en juliana.
2 litros de caldo de verdura.
425 gr. de tomate troceado de bote.
½ taza (80 gr.) de macarrones.
Un bote de 440 gr. de judías borlotti o judías pintas, escurridas.
Ramas de tomillo fresco para servir.
Parmesano rallado para servir.
Panecillos integrales, para servir.

1️⃣ Caliente el aceite en un cazo grande de fondo grueso. Añada la cebolla y el ajo y rehóguelos durante cinco minutos a fuego lento. Añada la zanahoria, la patata y el apio, y rehogue, removiendo, durante otros cinco minutos.

2️⃣ Añada el calabacín, las judías verdes y el repollo. Añada el caldo y los tomates troceados. Deje que alcance poco a poco el punto de ebullición, luego reduzca la intensidad del fuego, tápelo y deje que hierva a fuego lento durante dos horas.

3️⃣ Añada los macarrones y las judías y déjelo al fuego durante 15 minutos o hasta que la pasta esté hecha. Sírvalo caliente, aderezado con las ramitas de tomillo y el parmesano, y con un panecillo integral crujiente.

SOPA DE POLLO Y MAÍZ

Tiempo de preparación:	20 minutos
Tiempo de cocción:	35 minutos
Raciones:	4

180 gr. de pechuga de pollo sin piel ni grasa.
1 litro de caldo de pollo o agua.
1 cebolla grande, troceada.
1 patata, troceada.
1 tallo de apio, troceado.
1 zanahoria grande, rallada.
420 gr. de crema de maíz de bote.
310 gr. de semillas de maíz de bote, escurridas.
125 ml. de leche desnatada o baja en grasa.
3 cucharadas soperas de perejil de hoja plana (italiano), picado muy fino.

1️⃣ Haga dos o tres cortes a lo largo de la parte más gorda de la pechuga. Caliente el caldo o el agua en un cazo grande de fondo grueso. Cueza la pechuga durante diez minutos, o hasta que esté hecha por entero. Saque el pollo del cazo y déjelo a parte. Cuando haya enfriado utilice dos tenedores para cortar la carne del pollo en tiras finas.

2️⃣ Añada la cebolla, las patatas, el apio y la zanahoria al cazo. Póngalos a hervir, a continuación baje el fuego y deje que hierva a fuego lento durante 20 minutos o hasta que la patata esté hecha.

3️⃣ Añada la crema y las semillas de maíz, la leche, el pollo y el perejil. Remueva suavemente para que se caliente por todas partes.

NOTA: En lugar de poner el pollo a hervir puede utilizar pechuga de pollo asado sin grasa. También se pueden conseguir pechugas de pollo congeladas precocinadas en la sección de congelados del supermercado. Puede congelar la sopa en raciones, se mantiene en buen estado hasta un mes. Se trata de una sopa espesa; no obstante, puede añadir más caldo o leche para hacerla más ligera si lo prefiere.

ENSALADA DE REMOLACHA Y NARANJA SANGUINA

Tiempo de preparación: 20 minutos
Tiempo de cocción: cero
Raciones: 4

100 gr. de nueces de Brasil (castaña de monte), o nueces.
100 gr. de hojas de berros, espinacas y remolacha.
250 gr. de remolacha mediana cocida y pelada.
2 naranjas.
1 cucharada sopera de aceite de nuez o sésamo.
1 cucharada sopera de aceite de oliva.
1 cucharada sopera de zumo de limón o vinagre balsámico.
Sal y pimienta negra recién molida.

1 Precaliente el horno a 180° C. Ponga las nueces de Brasil en la bandeja del horno y tuéstelas durante diez minutos. Deje enfriar y córtelas en trozos grandes.

2 Lave y seque las hojas de ensalada, a continuación dispóngalas en una fuente grande. Corte la remolacha en trocitos finos y corone con ella la ensalada. Pele la naranja y quite la parte blanca del interior y corte los segmentos en un cuenco; vierta el zumo que ha quedado en el cuenco, añada el aceite de nuez, el aceite de oliva y el zumo de limón o el vinagre balsámico y remueva para que se mezcle.

3 Sazone al gusto con sal y pimienta. Vierta el aliño sobre la ensalada y esparza las nueces por encima. Sirva enseguida.

ENSALADA DE HUEVO Y ESPINACA CON PICATOSTES

Tiempo de preparación: 5 minutos
Tiempo de cocción: 8 minutos
Raciones: 4 (como ensalada para acompañar.)

2 rebanadas de pan integral, sin corteza.
2 cucharadas de aceite de oliva virgen extra.
8 hojas grandes de espinaca inglesa, cortada en tiras finas.
150 gr. de lechuga (ver nota), cortada en tiras finas.
3 cebolletas (cebolla de verdeo), cortadas finitas.
100 gr. de champiñones "botón", cortados.
Un puñado de tomates cherry.
2 cucharadas de vinagreta francesa de supermercado.
3 huevos duros, pelados y partidos en cuatro.

1 Precaliente el horno a 180° C. Unte las rebanadas con aceite, pártalas por la mitad y luego en daditos. Repártalo en una bandeja de horno y hornee durante 8 minutos, o hasta que estén dorados. Apártelos para que se enfríen.

2 Ponga las espinacas, la lechuga, la cebolleta, los champiñones y los tomates cherry en un cuenco para servir. Añada la vinagreta y mezcle suavemente. Añada los cuartos de huevo y los picatostes, remueva con cuidado y sirva de inmediato.

NOTA: Cualquier tipo de lechuga resulta apropiado para este plato, pero recomendamos elegir una variedad que tenga la hoja más oscura para obtener un valor nutritivo extra.

ENSALADA QUE PROTEGE LA VISTA

Algunas afecciones del ojo, tales como las cataratas y degeneración macular, son más frecuentes a medida que envejecemos. Los daños causados por los radicales libres desempeñan un papel fundamental en su desarrollo, y se ha demostrado que las dietas ricas en antioxidantes proporcionan un cierto grado de protección. De modo que hemos diseñado esta ensalada especialmente para suministrarle nutrientes clave para los ojos.

Tanto los flavonoides beta-caroteno (que su cuerpo convierte en vitamina A), como la luteína y la zeaxatina están presentes en las espinacas, al igual que la vitamina C. Los champiñones contienen selenio, cobre y cinc. Los tomates proporcionan licopeno, mientras que el aceite de oliva contribuye a la absorción tanto de éste como de los otros carotenoides, y también nos provee de vitamina E.

ALBÓNDIGAS DE CORDERO CON PAN DE PITA

Tiempo de preparación:	35 minutos + reposo
Tiempo de cocción:	15 minutos
Raciones:	4

500 gr. de cordero magro.
1 cebolla en trozos grandes.
1 buen puñado de perejil de hoja plana (italiano) cortado en trozos más bien grandes.
1 buen puñado de menta troceada.
2 cucharadas soperas de ralladura de limón.
1 cucharada sopera de comino molido.
¼ de cucharada sopera de chile en polvo.
250 gr. de yogurt desnatado.
2 cucharadas soperas de zumo de limón.
Un chorrito de aceite.
4 panes de pita integrales.

Tabule
80 gr. de burgol (trigo precocido, secado y triturado).
2 tomates madurados en rama.
1 pepino libanés (pequeño).
60 gr. de perejil de hoja plana (italiano), troceado.
1 buen puñado de menta, troceada.
2 chalotes, cortados.
125 ml. de aliño preparado sin grasa.

1 Corte el cordero en trozos grandes. Ponga el cordero y la cebolla en una picadora y píquelo hasta que quede homogéneo. Añada el perejil, la menta, la ralladura de limón y las especias y píquelo hasta que quede bien mezclado. Divida la mezcla en 24 bolas y colóquelas en una bandeja. Cúbralas y póngalas en la nevera durante al menos media hora para permitir que los sabores se desarrollen.

2 Mientras tanto, para hacer el tabule, coloque el burgol en un cuenco. Cúbralo con agua hirviendo y déjelo a parte durante 10 minutos o hasta que se haya ablandado. Séquelo, luego séquelo exprimiéndolo con las manos limpias. Quite las pepitas de los tomates y córtelos. Corte el pepino por la mitad, quítele las pepitas y trocéelo. Colóquelo todo en un cuenco grande con el perejil, la menta y los chalotes y vierta el aliño sin grasa.

3 Para hacer un aliño de yogurt, mezcle yogurt y zumo de limón en un cuenco, cúbralo y póngalo en la nevera.

4 Ponga a calentar una sartén antiadherente grande con aceite y cocine las albóndigas de cordero en dos tandas, echando el aceite en cada una de ellas, hasta que estén doradas por todas partes y hechas por dentro.

5 Precaliente el horno a 180ºC. Corte el pan de pita por la mitad, envuélvalo en papel de aluminio y colóquelo en el horno durante 10 minutos.

6 A la hora de servir reparta el tabule en las mitades del pan de pita, añada tres albóndigas en cada una y cubra con el aliño de yogurt.

CONSEJO: Utilice aliño sin grasa de cualquier sabor (griego, italiano y francés, todos van bien con este plato).

PASTEL DE PAN MEDITERRÁNEO

Tiempo de preparación:	45 minutos + 30 minutos en reposo + una noche en la nevera
Tiempo de cocción:	30 minutos
Raciones:	6

1/3 de taza de aceite de oliva.
23 cm. de pan de hogaza (redondo).
165 gr. de pesto.
200 gr. de queso ricota.
1/3 taza de parmesano rayado.

2 berenjenas.
500 gr. de batata.
2 pimientos rojos grandes.
4 calabacines cortados a lo largo.

1 Corte las berenjenas a lo largo y póngalas en un escurridor. Sazone con sal y déjelas durante media hora, luego enjuáguelas bien y séquelas dando golpecitos con toallas de papel.

Ponga la berenjena, la batata y los calabacines por tandas en la plancha hasta que estén bien tostados.

Quite la miga del interior del pan, dejando un armazón fino.

Ponga la batata y la berenjena en capas en el interior sobre los otros ingredientes.

② A continuación corte la batata. Parta los pimientos en cuatro y quite las pepitas y la membrana. Hágalos al horno, en un grill potente, con la parte con piel hacia arriba, hasta que salgan burbujas en la piel y se haya ennegrecido. Enfríelos en una bolsa de plástico, luego pélelos. Rocíe con aceite la berenjena, la batata y el calabacín y hágalos a la barbacoa o a la plancha por tandas hasta que estén bien hechos.

③ Corte la parte de arriba del pan y saque la miga del interior dejando un armazón fino. Unte el interior del pan y la parte de arriba con el pesto. Disponga por capas en el interior del pan los calabacines y el pimiento, luego extiéndalos con los quesos ricota y parmesano mezclados. Disponga también por capas la batata y la berenjena, presionando suavemente hacia abajo. Vuelva a colocar la parte de arriba del pan.

④ Cubra el pan con plástico de envolver y colóquelo en una bandeja de horno. Ponga otra bandeja encima del pan con peso encima (latas de comida). Póngalo en la nevera durante toda la noche.

⑤ Precaliente el horno a temperatura muy alta (250°C.) Quite la envoltura de plástico del pan y vuelva a poner el pan en la bandeja. Póngalo al horno durante 10 minutos o hasta que esté crujiente. Pártalo en cuñas para servir.

BONIATOS CON SALSA DE AGUACATE Y MAIZ

Tiempo de preparación:	15 minutos
Tiempo de cocción:	40 minutos
Raciones	4

4x200 gr. de boniatos.
1 cebolla roja, cortada finita.
1 aguacate, cortado finito.
1 cucharada sopera de zumo de limón.
130 gr. de maíz de bote.
Almendras, peladas.
½ pimiento rojo, cortado finito.
1 cucharada sopera de salsa de chile dulce.
Nata desnatada o yogurt natural bajo en grasa, para servir.

① Precaliente el horno a 200°C. Pinche los boniatos unas cuantas veces con una brocheta. Póngalos en la rejilla del horno y áselos durante 40 minutos, o hasta que estén totalmente hechos.

CONJUNTO COLORIDO

Los colores brillantes de las frutas y verduras nos dan pistas acerca de su contenido nutricional. Las verduras amarillas-naranjas, como la zanahoria, la calabaza (de invierno) y la batata constituyen una gran fuente de beta-caroteno. Consuma siempre un poco de grasa junto con los carotenoides con el fin de optimizar su absorción y el uso que nuestro cuerpo hace de ellos –en este caso las grasas monosaturadas del aguacate ayudarán a la absorción del beta-caroteno de la batata, cuyas propiedades anti-cancerígenas están documentadas.

② Mientras tanto, coloque la cebolla, el aguacate, el zumo de limón, el maíz y el pimiento rojo en un cuenco y mézclelos bien. Vierta la salsa de chile y sazónelo con sal y pimienta negra recién molida.

③ Haga un corte profundo a lo largo del boniato, por la parte de arriba. Divida la salsa entre los boniatos y añada una cucharada de nata o de yogur natural bajo en grasa, si lo prefiere.

PROTEJA SU CORAZÓN CON UNA DIETA AL ESTILO MEDITERRÁNEO

En un estudio realizado sobre cerca de 600 pacientes que previamente habían sufrido un ataque al corazón, aquellos que seguían una dieta mediterránea tenían hasta un 70% menos de probabilidades de sufrir nuevas crisis cardiovasculares durante un periodo de casi cuatro años que aquellos pacientes que no seguían ninguna dieta específica. Este patrón de alimentación se centra en las verduras, la fruta, los cereales (incluido el pan), las legumbres, los frutos secos y las semillas. La carne roja se consume relativamente poco, mientras que el pescado, las aves y los productos lácteos se toman en cantidades moderadas. Se consumen muchas grasas monosaturadas, especialmente bajo la forma de aceite de oliva. ¿Quiere incorporar a su propia dieta algunos de los factores profilácticos y de los deliciosos sabores del Mediterráneo? Estas dos ensaladas constituyen un buen principio –combinan aceites omega 3 del pescado, saludables para el corazón, con una gran variedad de verduras que suministran antioxidantes y fibra. Sírvase con pan integral crujiente y aceite oliva virgen extra, para que resulte aún más nutritivo.

ENSALADA

Tiempo de preparación:	15 minutos
Tiempo de cocción:	cero
Raciones:	4

6 tomates "Roma" (forma ciruela), cada uno partido en cuatro.
2 pepinos libaneses (pequeños), pelados, cortados por la mitad, despepitados y cortados en rodajas.
1 bulbo de hinojo, cortado finito.
1 cebolla roja pequeña, cortada en rodajas finas.
2 tallos de apio en rodajas.
80 gr. de aceitunas deshuesadas "Kalamata" en salmuera, enjuagadas y escurridas.
120 gr. de queso feta reducido en grasa.
4 cucharadas soperas de aliño griego de supermercado, sin grasa.
2x 105 gr. latas de sardinas en agua de manantial, escurridas.
Unas pequeñas ramas de orégano (opcional).
8 rebanadas de pan crujiente.

1️⃣ Ponga los tomates, los pepinos, las almendras, la cebolla, el apio y las aceitunas en una gran ensaladera.

2️⃣ Eche por encima el feta desmenuzado, a continuación vierta el aliño bien distribuido. Disponga las sardinas por encima y esparza, si es de su agrado, el orégano por encima. Sirva con el pan caliente y crujiente para completar sus reservas de hidratos de carbono.

CONSEJO: Puede utilizar cualquier aliño sin grasa, como el italiano o el francés.

ESPAGUETINI CON SALMÓN ASADO Y AJO

Tiempo de preparación:	10 minutos
Tiempo de cocción:	20 minutos
Raciones:	4–6

4 filetes pequeños de salmón, de unos 100 gr. cada uno.
4-5 cucharadas soperas de aceite de oliva virgen extra.
8-10 dientes de ajo, pelados.
300 gr. de espaguetini.
50 gr. de hinojo picado finito.
1 ½ cucharadas soperas de corteza de lima rallada muy fina.
2 cucharadas soperas de zumo de lima.
4 ramas de hojas de hinojo para aderezar.

1️⃣ Precaliente el horno a 220° C. y eche el aceite en una cazuela de barro apta para el horno. Rocíe el salmón con 2 cucharadas soperas de aceite de oliva, eche un poco de sal y dispóngalo en una sola capa en la cazuela.

2️⃣ Corte los dientes de ajo a la larga en rodajas y espárzalos por los filetes de salmón. Añada un poco de aceite de oliva. Póngalo al horno de 10 a 15 minutos o hasta que el salmón esté hecho del todo.

3️⃣ Mientras tanto cueza los espaguetini en un cazo grande con agua con sal que hierva con fuerza hasta que estén al dente. Escúrralos y eche aceite de oliva virgen extra suficiente como para que estén brillantes. Eche el hinojo y la ralladura de lima por toda la pasta y dispóngala en platos templados.

4️⃣ Ponga encima de cada plato un filete de salmón y a continuación distribuya con una cuchara el jugo de la cazuela por todos los platos con los trocillos de ajo que hayan quedado. Vierta el zumo de lima, aderece con las hojas de hinojo y sírvalo acompañado de una ensalada de tomate.

TARTA DE VERDURAS CON SALSA VERDE

Tiempo de preparación:	30 minutos + 30 minutos de
	refrigeración
Tiempo de cocción:	50 minutos
Raciones:	6

1 ¾ tazas de harina común.
120 gr. de mantequilla fría, en dados.
¼ de taza de nata.
1-2 cucharadas soperas de agua fría.
1 patata "Desiree" grande, partida en dados de 2 cm.
1 cucharada sopera de aceite de oliva.
2 dientes de ajo, machacados.
1 pimiento rojo, cortado en dados.
1 cebolla roja, cortada en aros.
2 calabacines, cortados en rodajas.
2 cucharadas soperas de eneldo fresco picado.
1 cucharada sopera de tomillo fresco picado.
1 cucharada sopera de alcaparras escurridas.
150 gr. de corazones de alcachofa marinados, cortados en cuatro y escurridos.
⅔ de taza de hojas de espinaca inglesa "baby".

Salsa verde
1 diente de ajo.
2 tazas de perejil fresco de hoja lisa.
1/3 de taza de aceite de oliva virgen extra.
3 cucharadas soperas de eneldo fresco picado.
1 ½ cucharadas soperas de mostaza de Dijón.
1 cucharada sopera de vinagre de vino tinto.
1 cucharada sopera de alcaparras escurridas.

① Tamice la harina y ½ cucharilla de sal en un cuenco grande. Añada la mantequilla y mézclela con la harina frotando con la yema de los dedos hasta que adquiera el aspecto de migas de pan. Añada la nata y el agua y mezcle todo con un cuchillo de filo liso hasta que se reúna en gotas. Junte la mezcla y sáquela a una superficie de trabajo ligeramente enharinada. Presiónelo hasta hacer una bola, luego aplánelo en forma de disco, envuélvalo en plástico de envolver y póngalo en la nevera durante media hora.

② Precaliente el horno a una temperatura medianamente caliente (200ºC.) Unte con mantequilla un molde

Añada la mantequilla y mézclela con la harina frotando con la yema de los dedos hasta que adquiera el aspecto de migas finas de pan.

Mezcle la masa con un cuchillo de filo liso hasta que se reúna en gotas.

Presione la masa suavemente contra el molde para tarta untado de mantequilla.

Hornee la base de masa hasta que esté seca al tacto y dorada.

Mezcle los ingredientes para la salsa verde en una picadora hasta que queden prácticamente homogéneos.

Esparza la salsa verde sobre la masa, a continuación rellene con las verduras calientes.

de tarta con el fondo extraíble. Estire la masa entre dos hojas de papel para hornear lo suficientemente grande como para cubrir el molde. Quite el papel, dé la vuelta a la masa y póngala en el molde sin preocuparse por si alguna parte sobrante queda colgando por fuera. Pase un rodillo de amasar por encima del molde, cortando así las partes que hayan rebasado la superficie. Cubra la masa con un trozo de papel para hornear arrugado, a continuación añada la masa sobrante. Coloque el molde en una bandeja de horno y hornee de 15 a 20 minutos. Quite el papel y la masa sobrante, baje la temperatura del horno a unos 180º C. y hornee durante 20 minutos o hasta que se dore.

❸ Para hacer la salsa verde, junte todos los ingredientes en una picadora y bata hasta que quede prácticamente homogéneo.

❹ Cueza la patata hasta que esté tierna. Escúrrala. Caliente el aceite en una sartén grande y sofría el ajo, el pimiento rojo y la cebolla a fuego medio durante tres minutos removiendo con frecuencia. Añada el calabacín, el eneldo, el tomillo y las alcaparras y manténgalo al fuego durante otros tres minutos. Baje el fuego al mínimo, añada la patata y las alcachofas y caliente todo. Sazone al gusto.

❺ Para juntarlo todo esparza 3 cucharadas soperas de salsa sobre la masa. Vierta la verdura sobre la base y rocíe sobre ésta la mitad de la salsa sobrante. Junte las espinacas en el centro y rocíe sobre ellas la salsa restante.

ENSALADA DE TERNERA A LA MENTA Y FIDEOS

Tiempo de preparación:	20 minutos
Tiempo de cocción:	10 minutos
Raciones:	4

Un chorrito de aceite.
Una pieza de 500 gr. de filete de cadera de ternera, magro.
250 gr. de fideos de arroz finos.
250 gr. de tomates cherry partidos por la mitad.
2 x 100 gr. paquetes de hojas de ensalada asiática "baby".
1 pepino libanés pequeño, pelado, sin pepitas, y cortado en rodajas finas.
¼ de cebolla roja, cortada en rodajas finas.
6 rábanos, cortados en rodajas finas.
1 puñado de menta.

Aliño
3 cucharadas soperas de zumo de lima.
3 cucharadas soperas de salsa de soja.
2 cucharadas soperas de salsa de pescado.
2 cucharadas soperas de azúcar de palma rallada o de azúcar moreno suave.
2 pimientos de chile rojos, sin semillas y cortados finitos.

1 Caliente una sartén antiadherente grande, eche un chorrito de aceite, dé palmaditas sobre la carne con unas toallas de papel para secarla. Aderece generosamente con pimienta negra, ponga la carne en la sartén y fríala por los dos lados. Manténgala al fuego de 5 a 8 minutos más o hasta que esté hecha a su gusto. Cúbrala con papel de plata y apártela durante 5 minutos, luego córtela en rodajas finas.

2 Mezcle los ingredientes del aliño en un cuenco pequeño, removiendo para que el azúcar se disuelva.

3 Cubra los fideos con agua hirviendo y déjelos aparte durante 5 minutos, O hasta que se hayan ablandado. Séquelos y ponga a enfriar. Utilice unas tijeras para cortarlos en trocitos más pequeños.

4 Añada los tomates cherry, las hojas de ensalada, el pepino, la cebolla, los rábanos y las hojas de menta en un cuenco grande. Eche encima los fideos y la carne y mezcle bien, a continuación vierta el aliño. Sírvalo inmediatamente.

ENSALADA NIÇOISE CON ATÚN

Tiempo de preparación:	20 minutos
Tiempo de cocción:	15 minutos
Raciones:	4

350 gr. de patatas tempranas.
150 gr. de judías verdes, recortadas y partidas en dos.
2 huevos.
175 gr. de hojas de ensalada variadas.
2 corazones de alcachofa en salmuera, enjuagados, escurridos y troceados.
4 tomates "Roma" (forma ciruela) maduros, cortados en cuñas.
1 pimiento rojo pequeño, sin semillas y troceado.
425 gr. de atún de lata en salmuera o en agua de manantial, escurrido y deshecho en pedazos.
125 ml. de aliño de ensalada francés sin grasa de supermercado.
50 gr. de aceitunas negras deshuesadas en salmuera, enjuagadas y escurridas.
1 cucharada sopera de alcaparras, enjuagadas y escurridas.
2 cucharadas soperas de perejil de hoja plana (italiano), troceado.

1 Cueza las patatas en un cazo con agua hirviendo durante 10 minutos, o hasta que estén en su punto. Tenga cuidado con no dejarlas al fuego demasiado tiempo. Escúrralas y enfríelas bajo el agua. Corte cada una por la mitad.

2 Mientras tanto sumerja las judías en una cazuela con agua hirviendo durante dos minutos. Escúrralas y enfríelas bajo el agua. Coloque los huevos en un cazo pequeño con agua. Póngalos a hervir, removiendo para centrar las yemas. Cuézalos de 5 a 8 minutos, escúrralos y enfríelos bajo el agua. Pélelos y pártalos en cuatro.

3 Disponga las hojas de ensalada sobre una fuente llana. Corónelas con las judías, los huevos, las alcachofas, los tomates, el pimiento rojo y el atún. Vierta por encima el aliño y esparza las aceitunas, las alcaparras y el perejil. Sirva con pan de pita turco para obtener un extra de hidratos de carbono y vitaminas del grupo B.

aperitivos y entrantes

TARTALETAS DE QUESO DE CABRA Y MANZANA

Tiempo de preparación:	10 minutos
Tiempo de cocción:	25 minutos
Unidades:	32

2 láminas de masa de hojaldre congelada.
300 gr. de queso de cabra, en rodajas.
2 manzanas para cocinar.
2 cucharadas soperas de aceite de oliva virgen extra.
1 cucharada sopera de tomillo limón fresco troceado.

① Precaliente el horno a 210° C. Mientras que la masa está aún congelada corte cada lámina en cuatro cuadrados y cada cuadrado a su vez en cuatro. Dispóngalos un poco separados en una bandeja de horno ligeramente untada de mantequilla. Déjelo a parte durante unos minutos para que se descongele y luego ponga el queso sobre el centro de cada cuadrado de masa, dejando un pequeño borde.

② Quite el centro de las manzanas, sin pelarlas, y córtelas en rodajas finas. Intercale varias rodajas sobre la masa asegurándose de que el queso quede completamente cubierto. Unte las manzanas con un poco de aceite y esparza el tomillo limón y un poco de sal y pimienta, al gusto.

③ Ponga las tartaletas al horno de 20 a 25 minutos, o hasta que la masa se haya hecho por todas partes y esté dorada por los bordes. Las tartaletas están mejor si se sirven inmediatamente.

NOTA: Si se quieren hacer por adelantado, se puede poner el queso sobre la masa, cubrir todo y ponerlo en la nevera durante la noche. La manzana se añadirá justo antes de poner las tartaletas al horno.

PIMIENTO ROJO Y HUMUS DE COMINO CON VERDURAS CRUDAS

Tiempo de preparación:	20 minutos
Tiempo de refrigeración:	20 minutos
Tiempo de cocción:	10 minutos
Raciones:	4–6

2 pimientos rojos medianos.
Una lata de 400 gr. de garbanzos, enjuagados y escurridos.
4 cucharadas soperas de zumo de limón.
80 ml. de tahini (pasta de semillas de sésamo).
4 cucharadas soperas de aceite de oliva virgen extra.
4 dientes de ajo machacados.
½ cucharita de postre de pimentón dulce.
1 cucharita de postre de comino molido.
Sal y pimienta negra molida.
100 gr. de espárragos.
100 gr. de judías verdes.
100 gr. de brócoli cortado en cogollitos.
100 gr. de maíz baby.
2 tallos de apio, cortados en bastones gruesos.
2 zanahorias, cortadas en bastones gruesos.

① Ponga los pimientos al grill en una bandeja dispuesta arriba en el horno hasta que la piel se hinche y se ennegrezca. Páselos a una bolsa de plástico y déjelos a parte para que se enfríen. A continuación quite la piel y corte la carne en tiras.

② Coloque los pimientos, los garbanzos, el zumo de limón, el tahini, 2 cucharadas soperas de agua, el aceite de oliva, el ajo, el pimentón y el comino en una picadora y bátalo hasta que quede cremoso. Sazone al gusto con sal y pimienta.

③ Para hacer las verduras crudas cocine al vapor los espárragos, las judías, el brócoli y el maíz; enjuáguelos y escúrralos. Disponga las verduras en vasos o en una fuente junto al hummus.

BUSCANDO UNA FUENTE SIN LÁCTEOS

Gracias al tahini que lleva, este hummus constituye una excelente forma de aumentar sus niveles de calcio. Los garbanzos implican que también es alto en proteínas, y las verduras para acompañar proporcionan antioxidantes valiosos.

TOSTADAS DE BERENJENAS Y CILANTRO

Tiempo de preparación:	20 minutos
Tiempo de cocción:	30 minutos
Raciones:	4, como entrante

1 berenjena pequeña cortada en cubos.
½ pimiento rojo cortado en cubos.
½ cebolla roja cortada en cuñas finas.
2 cucharadas soperas de aceite de oliva.
1 diente de ajo grande, machacado.
1 pan de leña cortado en doce rebanadas.
1 tomate maduro pequeño cortado por la mitad.
2 cucharadas soperas de menta fresca troceada.
2 cucharadas soperas de raíces, tallo y hojas de cilantro fresco machacados.
60 gr. de almendras tostadas en trocitos.

① Precaliente el horno a 240° C. Ponga la berenjena, el pimiento rojo, la cebolla y el aceite en un cuenco grande y mézclelos para que se bañen en el aceite. Espárzalos en una sola capa en una fuente de horno. Áselos durante 15 minutos, luego déles la vuelta y ase durante otros 10 minutos o hasta que estén tiernos. Páselos a un cuenco, añada el ajo y sazone al gusto con sal y pimienta.

② Coloque el pan en una bandeja de horno y tuéstelo durante cuatro minutos o hasta que esté crujiente. Frote las mitades del tomate con una cara de cada una de las rebanadas de pan, exprimiendo el tomate para obtener el mayor jugo posible, a continuación corte la carne del tomate finita y añádala a las verduras con la menta y el cilantro.

③ Sirva las verduras sobre la parte con tomate del pan y espolvoree los trocitos de almendra. Sírvase enseguida.

NOTA: Puede asar las verduras y tostar las almendras con un día de antelación. Guárdelas en un recipiente hermético.

Disponga las verduras cubiertas de aceite en una sola capa en una bandeja de horno grande.

Pase las verduras asadas a un cuenco y mezcle con el ajo, sal y pimienta.

Frote las mitades del tomate con una cara de cada una de las rebanadas de pan.

SUSHI

Tiempo de preparación:	45 minutos + 1 hora escurriendo + refrigeración
Tiempo de cocción:	10 minutos
Unidades:	Unas 30

1 taza de arroz japonés de grano corto.
2 cucharadas soperas de vinagre de arroz.
1 cucharada sopera de azúcar en polvo.
125 gr. de salmón, atún o trucha, para sashimi.
1 pepino libanés pequeño, pelado.
½ aguacate pequeño (opcional).
4 láminas de nori tostado.
Pasta wasabi, al gusto, más un extra para servir.
3 cucharadas soperas de jengibre escabechado.
Shoyu (salsa de soja japonesa), para mojar.

① Lave el arroz poniéndolo bajo el agua del grifo hasta que el agua salga clara, luego escúrralo todo. Deje el arroz en el colador para que escurra durante una hora. Eche el arroz en una sartén con dos tazas (500 ml.) de agua y póngalo a hervir. Baje el fuego y déjelo hervir a fuego lento durante cinco minutos o hasta que se haya absorbido el agua. Reduzca el fuego al mínimo, cúbralo y déjelo de 4 a 5 minutos más. Saque la sartén del fuego y déjelo cubierto durante unos diez minutos.

② Para hacer el aliño del sushi, mezcle el vinagre de arroz, el azúcar en polvo y una cucharita de postre de sal en un cuenco pequeño.

③ Esparza el arroz en la base de un plato o cuenco que no sea metálico, vierta el aliño del sushi por encima y utilice una pala de arroz o espátula para mezclar el aliño por todo el arroz, separando los granos al mismo tiempo. Abanique el arroz hasta que se enfríe a temperatura ambiente.

④ Con un cuchillo muy afilado corte el pescado en tiras muy finas. Corte el pepino y el aguacate en juliana (tiras de unos 5 cm. de largo).

⑤ Coloque una lámina de nori sobre una esterilla de sushi con la parte brillante hacia abajo y de forma que los lados más largos estén arriba y abajo. Disponga un cuarto del arroz a lo largo de la mitad de la lámina, por toda la parte larga, aplastándolo y dejando un borde por los lados de 2 cm. Extienda un poquito de wasabi por el centro del arroz. Disponga una cuarta parte del pescado, el pepino y el aguacate (en caso de usarse) y el jengibre por encima y a lo largo de la raya de wasabi.

⑥ Levante el borde de la esterilla y enrolle el sushi empezando por la parte más cercana a usted. Junte los bordes del nori apretando para que el rollo quede sellado y déle forma de rollo redondo. Empuje hacia el interior los granos de arroz que se salgan de los bordes. Con un cuchillo de filo liso o eléctrico corte el rollo en cilindros de 2,5 cm. Repita los pasos con los ingredientes restantes.

⑦ Sirva el sushi en platos individuales pequeños, con cuencos pequeños con salsa de soja y un extra de wasabi —sus invitados pueden mezclarlos al gusto para obtener una salsa en la que mojar el sushi.

NOTA: El sushi puede hacerse hasta con 4 horas de antelación y guardarse en un plato cubierto con un envoltorio de plástico. Si planea hacer el sushi con antelación, mantenga los rollos largos intactos y córtelos en cilindros justo antes de servir. No los ponga en la nevera; el sushi o el arroz se endurecerán.

GUACAMOLE

Tiempo de preparación:	30 minutos
Tiempo de cocción:	cero
Raciones:	6

3 aguacates maduros.
1 cucharada sopera de zumo de lima o de limón.
1 tomate.
1 o 2 chiles rojos, cortados muy finos.
1 cebolla roja pequeña, cortada muy fina.
1 cucharada sopera de hojas de cilantro bien troceadas.
2 cucharadas soperas de nata agria.
1-2 gotas de tabasco o de salsa habanero.

1 Corte toscamente la carne del aguacate y póngala en un cuenco. Cháfelo ligeramente con un tenedor y rocíe el zumo de lima o limón para evitar que el aguacate pierda el color.

2 Corte el tomate por la mitad horizontalmente y utilice una cucharilla para sacar las pepitas. Corte la carne en daditos pequeños y añádalo al aguacate.

3 Añada el chile, la cebolla, el cilantro, la nata agria y el tabasco o la salsa habanero. Sazone con pimienta negra recién molida.

4 Sirva de inmediato o cubra la superficie con un envoltorio de plástico y métalo en la nevera de 1 a 2 horas. En caso de haberlo metido en la nevera déjelo a temperatura ambiente 15 minutos antes de servirlo.

NOTA: Necesitará 1 o 2 limas para generar una cucharada sopera de zumo, dependiendo de la lima. Una lima más pesada tendrá probablemente más jugo. Para obtener más zumo de un cítrico pínchelo por todas partes con un tenedor y póngalo durante un minuto al máximo en el microondas. No olvide pincharla o puede que la fruta reviente.

CHIPS DE CHILE DULCES

Divida cuatro panes de pita libaneses por la mitad y luego córtelos en triángulos pequeños. Forre 3 bandejas del horno con papel para hornear, disponga los triángulos en las bandejas y unte cada uno de ellos por las dos caras con salsa de chile dulce (necesitará alrededor de una taza). Hornee a una temperatura baja (140ºC, dándoles la vuelta una vez, de 5 a 10 minutos, o hasta que las chips estén doradas por ambos lados. Se puede guardar de uno a dos días en un recipiente hermético.

Raciones: 4-6.

Quite el hueso del aguacate incrustando un cuchillo afilado y sacándolo hacia arriba.

Corte el tomate por la mitad horizontal y saque las pepitas con una cucharilla.

Sólo necesitará un par de gotas de tabasco o habanero –son muy picantes.

cena

ATÚN MARINADO Y DORADO CON SÉSAMO Y VERDURAS

Tiempo de preparación:	15 minutos + 30 minutos
	marinando
Tiempo de cocción:	15 minutos
Raciones:	4

4 cucharadas soperas de salsa de soja.
3 cucharadas soperas de mirin.
1 cucharada sopera de sake.
1 cucharada sopera de azúcar en polvo.
1 cucharada sopera de jengibre fresco rallado muy fino.
2 cucharadas soperas de zumo de limón.
4 x 175 gr. de filetes de atún.
Un chorrito de aceite.
350 gr. de choy sum, partido por la mitad.
800 gr. (1 manojo) de gai larn (brócoli chino), recortado y partido por la mitad.
2 cucharadas soperas de semillas de sésamo, ligeramente tostadas.

❶ Mezcle la salsa de soja, el mirin, el sake, el azúcar, el jengibre y el limón en una jarra. Coloque el pescado en un plato llano que no sea metálico y vierta el adobo de soja por encima. Voltee el pescado en el adobo para que se impregne bien. Cúbralo y deje que se marine en la nevera durante media hora.

❷ Precaliente una plancha o barbacoa hasta que esté caliente y rocíela con aceite. Saque el pescado del adobo. Guarde el adobo. Cocine los filetes de atún durante 11/2-2 minutos por cada lado, de manera que el atún se haga por fuera pero todavía este crudo en el centro.

❸ Vierta el adobo en una sartén grande. Lleve el líquido a ebullición, añada las verduras y las semillas de sésamo a la salsa hirviendo a fuego lento, hágalas y déles la vuelta hasta que hayan encogido un poco, a continuación póngalas en los platos en que se vaya a servir. Ponga el atún sobre las verduras y vierta el adobo por encima. Sírvalo con arroz o fideos.

NOTA: Se puede conseguir sake, mirin y aceite de sésamo en tiendas o supermercados chinos. Utilice cualquier verdura de estilo chino como el bok choy, los espárragos o el brócoli. Puede usar salmón en lugar de atún.

SALMÓN ATLÁNTICO AL HORNO

Tiempo de preparación:	10 minutos
Tiempo de cocción:	30 minutos
Raciones:	4

16 tomates cherry partidos por la mitad.
150 gr. de pulpa de piña madura, en dados.
4 x 200 gr. de filetes de salmón atlántico, con piel.
2 cucharadas soperas de vinagre balsámico.
2 cucharadas soperas de aceite de oliva.
100 gr. de rúcula (arugula) o de espinacas inglesas "baby".
4 cucharadas soperas de hojas de albahaca cortadas en tiras.

❶ Precaliente el horno a 180° C. Mezcle el tomate con la piña.

❷ Cubra una bandeja de horno con papel de aluminio, teniendo en cuenta que el papel de aluminio ha de ser lo suficientemente largo como para abarcar los cuatro filetes de salmón. Coloque los filetes de salmón sobre el papel de plata y sazónelos con sal y pimienta. Vierta la mezcla de tomate y piña por encima de los filetes repartiéndola equitativamente. Bata juntos el vinagre balsámico y el aceite de oliva en un cuenco pequeño y échelo por encima.

❸ Envuélvalo formando un paquete que abarque todo el pescado y póngalo en el horno precalentado de 20 a 25 minutos, o hasta que el salmón esté opaco pero siga húmedo y suculento.

❹ Haga un pequeño lecho de hojas de rúcula o espinaca en el centro de cada plato. Saque los filetes de salmón del papel de plata y póngalos sobre las hojas. Vierta la mezcla de tomate y piña y el jugo que ha soltado el salmón al cocinarse y esparza la albahaca.

NOTA: Se puede hacer está receta con caballa, filetes de trucha grandes, rufo antártico (Hyperoglyphe antarctica) o bacalao en lugar de salmón.

PESCADO TIKKA (adobo hindú)

Tiempo de preparación:	10 minutos + 1 hora marinándose
Tiempo de cocción:	5 minutos
Raciones:	4

Adobo

500 gr. (2 tazas) de yogurt griego.
2 chalotas asiáticas, cortadas muy finas.
1 cucharada sopera de jengibre fresco rallado.
2 dientes de ajo, machacados.
2 cucharadas soperas de zumo de limón.
1 cucharita de postre cilantro molido.
1 cucharita de postre de *garam masala* (mezcla de especias hindú).
1 cucharita de postre de pimentón.
1 cucharita de postre de chile en polvo.
2 cucharadas soperas de concentrado de tomate.

500 gr. de tiburón pequeño sin escamas.
2 cebollas, cada una cortada en 8 trozos.
1 pepino libanés pequeño, pelado y cortado en dados.
2 cucharadas soperas de hojas de cilantro troceadas.
Cuñas de limón para servir.

① Para hacer el adobo mezcle la mitad del yogurt y todos los otros ingredientes del adobo y una cucharita de postre de sal en un plato llano que no sea metálico y que sea lo suficientemente grande y profundo como para que quepan las brochetas.

② Corte el pescado en unas 24 piezas. En cada brocheta de metal ensarte tres piezas de pescado, dos trozos de cebolla y otros dos de pimiento, alternando a medida que se dispone todo en la brocheta. Voltee las brochetas en el plato con el adobo de modo que tanto el pescado como las verduras queden bien cubiertos. Cúbralo y deje que se marine durante al menos una hora en la nevera.

③ Precaliente la barbacoa o la parrilla. Saque las brochetas del adobo. Hágalas en una plancha lisa de barbacoa o en la parrilla durante unos 5 minutos o hasta que el pescado esté sólido y opaco.

④ Entre tanto eche el pepino y el cilantro en lo que queda de yogurt.

Sirva el pescado con el yogurt y las cuñas de limón.

NOTA: También puede utilizar brama, pargo, mero, emperador o lubina para esta receta. Sírvase con *pilaf* de arroz y lentejas (ver a continuación).

PILAF DE ARROZ Y LENTEJAS

Tiempo de preparación:	10 minutos +1 hora a remojo
Tiempo de cocción:	45 minutos
Raciones:	4

200 gr. de lentejas de Puy.
2 cucharadas soperas de aceite de oliva.
1 chile rojo sin semillas y troceado.
2 dientes de ajo, troceados.
2 cucharadas soperas de jengibre fresco rallado.
1 cebolla roja, troceada.
1 pimiento rojo pequeño, sin semillas y troceado.
1 cucharada sopera de *garam masala*.
1 cucharada sopera de azafrán molido.
175 gr. de arroz integral.
1 litro de caldo de verduras caliente o agua.
155 gr. de guisantes congelados, descongelados.

① Ponga las lentejas en un cuenco, cúbralas con agua y déjelas 1 hora en remojo. Escúrralas.

② Caliente el aceite en una sartén de fondo grueso que tenga 8 cm. de profundidad y 24 cm. de diámetro en la base. Añada el chile, el ajo y el jengibre y sofría durante un minuto, luego añada la cebolla y el pimiento. Siga removiendo el sofrito al fuego de 2 a 3 minutos o hasta que se ablande. Añada el *garam masala* y el azafrán y continúe removiendo durante 1 minuto.

③ Añada el arroz, las lentejas y el caldo de verduras caliente o el agua. Siga removiendo y llévelo a ebullición. Cúbralo, reduzca la intensidad del fuego y deje que hierva a fuego lento durante 40 minutos o hasta que el arroz y las lentejas estén hechos. Añada los guisantes. Sírvalo con ensalada mixta.

NOTA: Las lentejas de Puy se pueden conseguir en la mayoría de las tiendas de *delicatessen*. Si no las consigue puede usar lentejas marrones.

TRUCHA AL VAPOR CON SOJA, VINO DE ARROZ Y JENGIBRE

Tiempo de preparación:	15 minutos
Tiempo de cocción:	15 minutos
Raciones:	2

2 x 200-225 gr. truchas arco iris enteras, escamadas y limpias.
3 cucharadas soperas de salsa de soja.
½ cucharilla de postre de aceite de sésamo.
1 cucharilla de postre de vinagre de arroz o de vino blanco.
2 cucharillas de postre de vino de arroz o de jerez seco.
1 cucharada sopera de jengibre rallado muy fino.
2 cucharadas soperas de cilantro picado.
2 cebolletas, cortadas muy finas.

1 Enjuague el pescado y déle palmaditas con toallas de papel para que quede seco. Haga tres marcas en cada lado de las truchas y colóquelas en un plato llano apto para el horno.

2 Mezcle la salsa de soja, el aceite de sésamo, el vinagre, el vino de arroz y el jengibre en una jarrita. Vierta parte de la mezcla de salsa de soja dentro del pescado y luego vierta el resto por encima.

3 Coloque el plato en una vaporera de bambú o de metal grande, dispuesta sobre una sartén con agua hirviendo a fuego lento. Cúbralo y hágalo al vapor durante

LA IMPORTANCIA DEL PESCADO

A continuación se dan dos de las muchas razones por las que el hecho de incluir mucho pescado en su dieta ayuda a reducir los efectos del envejecimiento:
• Investigadores escoceses nos informan de que el consumo de grandes cantidades de pescado a lo largo de la vida mejora la velocidad mental una vez alcanzados los sesenta, y puede frenar el envejecimiento mental de uno a dos años.
• Un estudio realizado sobre 478.000 individuos de toda Europa durante cinco años reveló que el hecho de comer una media de 80 gr. de pescado al día reduce el riesgo de desarrollar un cáncer colorrectal en torno al 30% -lo que contrasta absolutamente con el hecho de comer grandes cantidades de carne industrial (como el salami y el bacon), que puede incluso aumentar su riesgo hasta un tercio.

15 minutos o hasta que la carne del pescado esté opaca –levante cada pescado por un lado y mire dentro para ver si la opacidad ha alcanzado la espina. De no ser así, siga cocinándolo hasta que ocurra.

4 Quite la tapa y esparza el cilantro y las cebolletas sobre cada pescado. Sírvalo con arroz y verduras asiáticas al vapor.

NOTA: Puede utilizar también brama o lubina en lugar de trucha arco iris.

ENSALADA CRUJIENTE DE REPOLLO, ZANAHORIA Y ALMENDRA

Tiempo de preparación:	20 minutos
Tiempo de cocción:	cero
Raciones:	4

115 gr. de repollo cortado en juliana finito.
115 gr. de repollo chino cortado en juliana finito.
2 zanahorias, cortadas en palillos finos.
2 tallos de apio, en rodajas finas.
1 pimiento rojo, cortado en tiras finas.
3 cebolletas, en rodajas finas.
75 gr. de almendras peladas y tostadas.
100 gr. de fideos hervidos.
Para el aliño:
1 chile rojo pequeño, picado muy fino.
3 cucharadas soperas de zumo de lima.
1 cucharada sopera de salsa de pescado.
1 cucharada sopera de aceite de sésamo.
1 cucharada sopera de azúcar moreno.

1 Ponga el repollo, las zanahorias, el pimiento rojo, las cebolletas y las almendras en una ensaladera grande y remueva para que se mezcle todo. Bata juntos el chile, el zumo de lima, la salsa de pescado, el aceite de sésamo y el azúcar moreno hasta que el azúcar se disuelva. Vierta el aliño sobre la ensalada y mezcle el conjunto. Deje que repose durante 15 minutos antes de servirla. Por último añada los fideos y mezcle rápidamente antes de servirlo enseguida.

FILETE CON TOMATE ASADO Y SALSA DE CEBOLLA ROJA

Tiempo de preparación: 20 minutos

Tiempo de cocción: 1 hora y 20 minutos

Raciones: 4

250 gr. de cebollas rojas, en rodajas finas.
500 gr. de cebollas en escabeche.
2 dientes de ajo.
1 cucharada sopera de aceite de oliva.
750 gr. de tomates "Roma".

½ cucharilla de postre de sal.
2 cucharadas soperas de orégano fresco, picado.
Una lata de 220 gr. de tomates italianos pelados.
2 cucharitas de moscatel o brandy.
2 cucharitas de azúcar moreno.
4 filetes escoceses o de cadera, sin grasa.

1️⃣ Precaliente el horno a una temperatura moderada, 200º C. Coloque la cebolla roja, la cebolla en escabeche

Añada los tomates a la bandeja del horno y rocíe con aceite, sal y orégano.

Utilice unas tijeras para trocear los tomates de lata sin perder el jugo.

Vierta el moscatel o el brandy sobre la fuente y espolvoree con azúcar moreno.

y los dientes de ajo en una bandeja de horno grande con la mitad del aceite de oliva. De vueltas a las cebollas por el aceite para que queden ligeramente cubiertas.

2 Corte los tomates por la mitad a la larga y añádalos a la bandeja del horno. Esparza el aceite de oliva restante, la sal y el orégano y áselo durante una hora.

3 Utilice unas tijeras de cocina para cortar toscamente los tomates enlatados, sin sacarlos de la lata. Vierta los tomates troceados y su jugo sobre la bandeja del horno con cuidado de no deshacer los tomates asados. Vierta el moscatel o el brandy por encima y espolvoree el azúcar moreno. Vuelva a poner todo en el horno y áselo durante otros 20 minutos.

4 Haga los filetes en una plancha hasta que estén hechos a su gusto. Sírvalos con la salsa caliente.

NOTA: Esta salsa resulta un gran condimento, bajo en grasa, para servir con carnes asadas en barbacoas. Sírvala con puré de calabaza asada y nuez (ver a continuación).

PURÉ DE CALABAZA ASADA Y NUEZ

Tiempo de preparación:	20 minutos
Tiempo de cocción:	1 hora y 5 minutos
Raciones:	4

6 nueces partidas por la mitad.
Una calabaza de 1,5 kg.
Aceite de oliva para barnizar.
1/3 de taza de nata.
90 gr. de mantequilla.
1 cucharada sopera de perejil fresco picado.

1 Precaliente el horno a 220° C. Coloque las nueces en una bandeja de horno y métalas al horno de 3 a 5 minutos o hasta que las nueces estén doradas. Sáquelas del horno y déjelas enfriar, a continuación píquelas toscamente.

2 Pele la calabaza y córtela en trozos iguales. Colóquela en una bandeja de horno, barnícela con aceite de oliva, luego ásela durante 1 hora o hasta que esté blanda en el centro.

3 Caliente la nata a fuego lento en un cazo pequeño.

Coloque la calabaza asada en una picadora y bátala hasta que quede sin grumos. Añada la nata, sazone con sal y pimienta y vuelva a poner la picadora hasta que quede bien mezclado. No lo bata durante demasiado tiempo.

4 Derrita la mantequilla en una sartén pequeña y caliéntela a fuego lento hasta que se dore. Añada el perejil picado y luego vierta la mezcla sobre el puré. Aderece con las nueces troceadas para servir.

CURRY DE LENTEJAS VERDES Y VERDURAS

Tiempo de preparación: 20 minutos
Tiempo de cocción: 1 hora, 5 minutos
Raciones 4

1 cucharada sopera de aceite de colza canadiense.
1 cebolla grande, picada.
2 dientes de ajo, picados.
1-2 cucharadas soperas de extracto de curry.
1 cucharada sopera de azafrán molido.
200 gr. de lentejas verdes, enjuagadas y escurridas.
1,25 litros de caldo de verduras o agua.
1 zanahoria grande cortada en cubitos de 2 cm.
2 patatas cortadas en cubitos de 2 cm.
250 gr. de boniato, pelado y cortado en cubitos de 2 cm.
350 gr. de coliflor, despedazada en cogollitos pequeños.
150 gr. de judías verdes, recortadas y partidas por la mitad.
Albahaca para servir.
Hojas de cilantro para servir.

1️⃣ Caliente el aceite en un cazo a fuego medio. Añada la cebolla y el ajo y rehóguelos durante 3 minutos o hasta que se hayan ablandado. Añada el curry y el azafrán y remueva durante 1 minuto. Añada las lentejas y el caldo o el agua.

2️⃣ Póngalo a hervir y a continuación baje el fuego. Tápelo y déjelo hervir a fuego lento durante 30 minutos, luego añada la zanahoria, las patatas y el boniato. Déjelo hervir a fuego lento, tapado, durante 20 minutos más o hasta que las verduras y las lentejas estén tiernas.

3️⃣ Añada la coliflor y las judías, tápelo y deje hervir a fuego lento durante 10 minutos, o hasta que la coliflor y las judías estén hechas y la mayor parte del líquido se haya absorbido. Quite la tapa y déjelo a fuego lento unos minutos más si queda mucho líquido. Sírvalo caliente con arroz integral o basmati y aderece con la albahaca y las hojas de cilantro.

SALTEADO DE CERDO Y REPOLLO

Tiempo de preparación: 15 minutos
Tiempo de cocción: 10 minutos
Raciones: 4

Salsa

1 ½ cucharadas soperas de salsa de pescado.
4 cucharadas soperas de salsa de soja *light*.
1 ½ cucharadas soperas de azúcar de palma rallada o azúcar moreno ligera.
375 gr. de fideos de arroz finos.
2 cucharadas soperas de aceite de colza canadiense o de aceite de oliva.
1 cebolla, picada finita.
2 dientes de ajo, picados finitos.
1-2 chiles rojos, sin semillas y picados finitos.
500 gr. de carne de cerdo picada magra.
1 zanahoria grande rallada.
1 calabacín rallado.
225 gr. de repollo cortado finito en juliana.
1 buen puñado de hojas de cilantro.

1️⃣ Mezcle los ingredientes de la salsa en un cuenco pequeño, removiendo para que el azúcar de palma o moreno se disuelva. Coloque los fideos en un cuenco grande y cúbralos con agua hirviendo. Déjelos a parte durante 4 minutos o hasta que se hayan ablandado. Escúrralos bien. Utilice unas tijeras para cortar los fideos en trozos más cortos.

2️⃣ Caliente el aceite en un wok. Añada la cebolla, el ajo y el chile y saltéelos durante 4 minutos o hasta que estén hechos y se hayan dorado. Divida los trozos mientras lo va cocinando.

3️⃣ Añada la zanahoria, el calabacín y el repollo y siga salteando de 2 a 3 minutos más, o hasta que las verduras estén al punto. Añada los fideos y a continuación los ingredientes de la salsa y las hojas de cilantro.

¿REPOLLO CONTRA EL CÁNCER?

¿Sabía usted que las mujeres que consumen repollo, brócoli, coles de Bruselas y otras verduras de la familia de las crucíferas (Brassica) tienen menos probabilidades de desarrollar un cáncer de pecho? Estas verduras contienen unos compuestos denominados glucosinolatos, que nuestros cuerpos convierten en potentes compuestos anticancerígenos.

SALTEADO DE POLLO CON ESPECIAS Y SHIITAKE

Tiempo de preparación: 20 minutos + 15 minutos en remojo

Tiempo de cocción: 15 minutos

Raciones: 4

4 setas Shiitake desecadas.
250 gr. de fideos de arroz planos.
Un chorrito de aceite.
1 cebolla roja, cortada en cuñas finas.
2 dientes de ajo, machacados.
Un trozo de jengibre fresco de 2 cm. x 2 cm. cortado en juliana.
1 cucharada sopera de mermelada de chile.
400 gr. de filetes de pechuga de pollo sin piel, cortados en tiras.
½ pimiento rojo, cortado en tiras.
800 gr. de gai larn (brócoli chino), cortado en trozos de 5 cm. de largo.
115 gr. de maíz "baby" fresco o de lata.
150 gr. de guisantes nevados (mangetout).
4 cucharadas soperas de salsa de soja.
2 cucharadas soperas de mirin.
1 buen puñado de hojas de cilantro.

1 Coloque las setas en un cuenco que resista el calor y cúbralas con 375 ml. de agua hirviendo y manténgalas así durante 15 minutos. Escúrralas guardando el líquido y exprimiendo el líquido sobrante. Quite los pies y corte los sombreros de las setas en trozos finos. Coloque los fideos en un cuenco que soporte el calor, vierta por encima agua hirviendo para cubrirlos y manténgalos durante 5 minutos o hasta que se ablanden. Escúrralos.

2 Mientras tanto caliente un wok antiadherente a fuego fuerte y eche el aceite. Añada la cebolla y sofría de 2 a 3 minutos. Añada el ajo, el jengibre y la mermelada de chile y sofría un minuto más, añadiendo 1 o 2 cucharadas soperas del líquido de las setas previamente guardado para mezclarlo con la mermelada de chile.

3 Añada el pollo y hágalo de 4 a 5 minutos, o hasta que esté casi hecho. Añada el pimiento, el gai larn, el maíz, los guisantes nevados, las setas y 3 cucharadas soperas del caldo de las setas y saltee todo de 2 a 3 minutos o hasta que las verduras estén tiernas. Añada la salsa de soja, el mirin, el cilantro y los fideos y aderece

¿QUÉ TIENE DE ESPECIAL EL SHIITAKE?

Las investigaciones muestran que las setas shiitake tienen un componente que estimula la reactividad inmunitaria, el lentinan, que ayuda a combatir las infecciones y también puede contribuir en la protección frente al cáncer. Otro compuesto, la eritadenina, tiene propiedades que reducen el colesterol. No es de extrañar que sean un símbolo de la longevidad en algunas partes de Asia.

con pimienta blanca molida. Mézclelo bien y sirva de inmediato.

NOTA: Los shiitake desecados, la mermelada de chile y el mirin se pueden conseguir sin problemas en supermercados y tiendas de comida asiáticos.

BUCATINI* POMODORO

Tiempo de preparación: 15 minutos

Tiempo de cocción: 35 minutos

Raciones: 4-6

* espagueti con un agujero longitudinal en el centro

2 cucharadas soperas de aceite de oliva.
1 cebolla, cortada finita.
2 dientes de ajo, cortados finitos.
2 cucharadas soperas de perejil fresco de hoja plana, picado muy fino.
2 latas de 400 gr. de tomates pelados, troceados, ó 1 Kg. de tomates maduros, pelados y troceados.
1 cucharada sopera de concentrado de tomate.
1 cucharilla de postre de azúcar en polvo.
500 gr. de bucatini.
¼ de taza (15 gr.) de albahaca fresca cortada en juliana.

1 Caliente el aceite en una sartén grande. Sofría la cebolla, el ajo y el perejil a fuego lento durante 3 minutos, o hasta que la cebolla esté blanda.

2 Añada el tomate de lata o fresco, el concentrado de tomate y el azúcar. Tápelo parcialmente y deje que hierva a fuego lento durante 30 minutos o hasta que se espese la salsa. Sazone con sal y pimienta negra molida.

3 Haga la pasta en un cazo grande con agua hirviendo hasta que esté al *dente*. Escúrrala. Mezcle la salsa y la pasta y aderece con la albahaca cortada. Si lo desea, sírvalo con parmesano rallado.

MOUSSAKA CON ENSALADA DE GARBANZOS

Tiempo de preparación:	30 minutos
Tiempo de cocción:	1 hora 30 minutos
Raciones:	6

1 Kg. de berenjenas.
Un chorrito de aceite.
2 cebollas, cortadas finitas.
3 dientes de ajo grandes, machacados.
½ cucharada sopera de pimienta de Jamaica molida.
1 cucharada sopera de cinamomo molido.
500 gr. de cordero magro picado.
2 cucharadas soperas de concentrado de tomate.
125 ml. de vino tinto.
2 latas de 400 gr. de tomate de bote.
3 cucharadas soperas de perejil picado.
90 gr. de queso Cheddar bajo en grasa.
20 gr. de mantequilla.
40 gr. de harina.
375 ml. de leche desnatada.
150 gr. de ricota baja en grasa.
Una pizca de nuez moscada molida.
Un bote de 425 gr. de garbanzos.
½ cebolla roja.
3 puñados de rúcula.
2 cucharadas soperas de aliño preparado sin grasa.

① Precaliente el horno a 180º C. Corte la berenjena en rodajas gruesas de 5 mm. Unte la berenjena de aceite y ásela en un grill precalentado durante 4 minutos por cada lado, o hasta que se dore.

② Caliente un cazo grande antiadherente con un poco de aceite. Sofría las cebollas de 3 a 4 minutos o hasta que se ablanden. Añada el ajo, la pimienta de Jamaica y el cinamomo y sofría un minuto más.

Añada el cordero y sofría de 3 a 4 minutos o hasta que esté hecho. Añada el concentrado de tomate, el vino y los tomates. Llévelo a ebullición y entonces baje el fuego y deje que hierva a fuego lento de 30 a 35 minutos, removiendo de vez en cuando, o hasta que la mayor parte del líquido se haya evaporado. Añada el perejil y sazone al gusto.

③ Para hacer la bechamel ralle el queso, derrita la mantequilla en un cazo a fuego medio, añada la harina removiendo y manténgala al fuego durante un minuto. Sáquelo

del fuego y añada la leche poco a poco. Vuelva a ponerlo al fuego y remueva constantemente hasta que la salsa hierva y se espese. Baje el fuego y deje que hierva a fuego lento durante 2 minutos. Añada la ricota y la nuez moscada hasta que quede sin grumos y sazone al gusto.

④ Vierta la mitad de la salsa de carne sobre una fuente de 25 x 30 cm con 3 l. de capacidad y apta para el horno. Cúbrala con la mitad de la berenjena. Vierta por encima la salsa de carne restante y cúbrala con lo que queda de berenjena. Eche la bechamel por encima y esparza el queso rallado. Hornéelo durante 30 minutos o hasta que se dore. Déjelo reposar 5 minutos antes de servir.

⑤ Para hacer la ensalada enjuague y escurra los garbanzos. Corte la cebolla en cuñas. Ponga la rúcula, la cebolla y los garbanzos en un cuenco. Añada el aliño, sazone con sal y pimienta y remueva todo hasta que esté bien mezclado.

POLLO MARROQUÍ CON COUSCOUS

Tiempo de preparación:	20 minutos + 15 minutos en reposo
Tiempo de cocción:	1 hora
Raciones:	4

1 cucharada sopera de semillas de comino desecadas.
1 cucharada sopera de semillas de cilantro desecadas.
1 cucharada sopera de jengibre molido.
1 cucharada sopera de azafrán molido.
1 cucharada sopera de cinamomo molido.
½ cucharada sopera de copos de chile.
8 piezas de pollo sin piel.
3 cucharadas soperas de aceite de oliva.
1 cebolla machacada.
1 cucharada sopera de jengibre rallado muy fino.
Una lata de 400 gr. de tomate troceado.
250 ml. de caldo de pollo.

Couscous

375 ml. de caldo de pollo.
1 diente de ajo, machacado.
3 cebolletas.
280 gr. de couscous.
400 gr. de garbanzos de bote.
2 cucharadas soperas de cilantro troceado finito.

① Ponga las semillas de comino y cilantro, el jengibre,

el azafrán, el cinamomo y los copos de chile en una sartén pequeña de fondo grueso. Caliéntelos removiendo a fuego medio durante 1 minuto o hasta que resulte aromático. Muélalo con un mortero y la mano de mortero o un molinillo de especias para que quede en polvo.

2 Espolvoree las piezas de pollo con la mezcla de especias, mezclándolo bien. En una sartén grande y profunda de fondo grueso caliente 2 cucharadas soperas de aceite. Añada las piezas de pollo y sofría durante 8 minutos, volteando las piezas para que se doren uniformemente. Sáquelas de la sartén y déjelas aparte.

3 En la misma sartén añada el aceite restante y sofría la cebolla, el ajo y el jengibre durante 3 minutos o hasta que se ablande. Añada los tomates troceados y el caldo y vuelva a poner el pollo en la sartén. Llévelo a ebullición, luego ponga el fuego al mínimo, tápelo y déjelo durante 45 minutos o hasta que el pollo esté tierno y la salsa se haya reducido. Sazone al gusto.

4 Mientras tanto ponga en un cazo pequeño el caldo de pollo y el ajo a hervir para hacer el couscous. Ponga el couscous en un cuenco que no sea metálico y viértalo sobre el caldo caliente. Tápelo con un envoltorio de plástico y déjelo reposar durante 15 minutos. Corte las cebolletas muy finas en diagonal. Remueva el couscous con un tenedor, a continuación añada los garbanzos enjuagados y escurridos, el cilantro y la cebolleta. Sazone bastante. Sírvalo en una fuente coronado por el pollo marroquí, aderezado con el cilantro troceado.

NOTA: Se utilizan contramuslos sin piel con el hueso y muslos. Para reducir la cantidad de grasa en la comida utilice 8 muslos –tienen menos grasa que el contramuslo.

SALTEADO DE TERNERA TAILANDÉS

Tiempo de preparación:	15 minutos + 2 horas marinándose
Tiempo de cocción:	25 minutos
Raciones:	4

400 gr. de filete de cuarto trasero de ternera sin grasa.

2-3 chiles "birdseye" (diablo africano/*capsicum frutescens*), sin semillas y troceado muy fino.

3 dientes de ajo, machacados.

1 cucharada sopera de azúcar de palma o azúcar moreno ligera.

2 cucharadas soperas de salsa de pescado.

2 cucharadas soperas de aceite de canola.

400 gr. de arroz jazmín.

150 gr. de judías serpiente, cortadas en trozos de 3 cm.

150 gr. de guisantes de vaina redondeada (sugar snap), pelados.

1 zanahoria grande, cortada finita.

1 buen puñado de albahaca tailandesa.

1 Corte la carne lo más fina que pueda atravesando el veteado. Dispóngala en un cuenco que no sea metálico con el chile, el ajo, el azúcar de palma, la salsa de pescado y una cucharita de postre del aceite. Mézclelo bien, tápelo y póngalo en la nevera durante dos horas.

2 Media hora antes de servir lave bien el arroz en un colador hasta que el agua salga clara. Métalo en un cazo con 750 ml. de agua, póngalo a hervir y deje que hierva durante 1 minuto. Tápelo, baje el fuego al mínimo y déjelo así durante 10 minutos. Apague el fuego y deje el cazo tapado durante 10 minutos. Esponje el arroz con un tenedor.

3 Escalde las judías, los guisantes de vaina redondeada y la zanahoria en un cazo grande con agua hirviendo durante 2 minutos, escúrralos y enfríe. Caliente el resto del aceite en un wok grande antiadherente hasta que este muy caliente y saltee la carne en 2 tandas a fuego fuerte justo hasta que se dore.

4 Ponga toda la ternera en el wok junto con la verdura escaldada y la albahaca. Saltee de 1 a 2 minutos más o hasta que se haya calentado por todas partes. Adérece con los chiles troceados, si le gustan, y sirva con el arroz.

POLLO ESTILO CAJÚN CON SALSA DE PIPAS DE CALABAZA

Tiempo de preparación:	25 minutos
Tiempo de cocción:	50 minutos
Raciones:	4

4 boniatos, pelados y cortados en trozos de 3 cm.

Un chorrito de aceite.

4 contramuslos de pollo sin piel con el hueso.

4 muslos de pollo sin piel.

3 cucharadas soperas de salsa Cajún.

Cuñas de lima para servir.

Salsa.

160 gr. de pipas de calabaza.

2 mazorcas de maíz.

4 cucharadas soperas de zumo de lima.

300 gr. de tomates "Roma", en dados.

1 cucharita de comino molido.

1-2 jalapeños, picados muy finos.

1 Precaliente el horno a 180º C. Unte los boniatos en el aceite y sazónelos. Colóquelos en una bandeja de horno y áselos de 40 a 45 minutos o hasta que se doren y estén hechos por dentro.

2 Ponga el pollo en un cuenco grande, añada la salsa cajún y mézclelo bien hasta que las piezas estén cubiertas del todo. Colóquelo en una bandeja de horno y áselo durante 45 minutos o hasta que esté hecho por dentro.

3 Para hacer la salsa ponga las pipas de calabaza en una sartén a fuego medio, removiendo de vez en cuando, de 3 a 4 minutos o hasta que se hinchen. Barnice el maíz con parte del zumo de lima y a continuación áselo al grill de 15 a 20 minutos o hasta que esté tierno. Déjelo aparte hasta que esté lo suficientemente frío como para manipularlo y luego saque los granos. mezcle el maíz con las pipas de calabaza, el tomate, el comino y el jalapeño. Sazone bastante con sal y pimienta negra molida en trozos grandes, añada a continuación el zumo de lima restante y mézclelo bien.

4 Sirva las piezas de pollo con el boniato asado, la salsa y las cuñas de lima.

ESTOFADO DE CORDERO CON INFUSIÓN DE ROMERO Y LENTEJAS

Tiempo de preparación: 20 minutos

Tiempo de cocción: 2 horas 30 minutos

Raciones: 6

1 cucharada sopera de aceite de oliva.

1 cebolla, en rodajas finas.

2 dientes de ajo, machacados.

1 zanahoria pequeña, cortada finita.

2 cucharitas de semillas de comino.

¼ de cucharita de copos de chile.

2 cucharitas de jengibre fresco cortado finito.

Una pierna de cordero de 1 kg. con hueso, cortada en cubitos de 4 cm.

2 cucharitas de hojas de romero, cortadas.

3 tazas (750 ml.) de caldo de pollo.

1 taza (185 gr.) de lentejas verdes o marrones

3 cucharitas de azúcar moreno ligera.

2 cucharitas de vinagre balsámico.

Cuando el aceite esté caliente añada la cebolla, el ajo y la zanahoria y sofría hasta que se ablande y se dore.

Una vez dorado el cordero añada el romero y el caldo a la cazuela.

Mantenga el asado 1 hora en el horno, luego añada las lentejas, el azúcar y el vinagre.

1 Precaliente el horno a 180° C. Caliente la mitad del aceite en un cazo de base gruesa. Añada la cebolla, el ajo y la zanahoria y sofría a fuego medio durante 5 minutos o hasta que se ablande y se dore. Añada las semillas de comino, los copos de chile y el jengibre, manténgalo al fuego durante 1 minuto. Luego pase todo a una fuente de horno grande.

2 Caliente el aceite restante en la cazuela y dore el cordero por tandas a fuego intenso. Páselo a la fuente.

3 Añada el romero a la cazuela y vierta 2 tazas y media del caldo. Caliéntelo hasta que este burbujee y luego viértalo en la fuente de horno. Tape la fuente y áselo durante 1 hora.

4 Añada las lentejas, el azúcar y el vinagre y áselo todo 1 hora más o hasta que las lentejas estén hechas. Si la mezcla resulta muy espesa vierta lo que queda de caldo. Sazone con sal y pimienta al gusto y sírvalo.

ROMERO PARA RECORDAR:

A menudo se ha asociado el romero con el recuerdo –y ahora la ciencia ha venido a confirmar que los antiguos herboristas sabían de qué estaban hablando. Esta hierba contiene flavonoides que ayudan a la memoria y a la concentración al reforzar la integridad de los vasos sanguíneos y mejorar la circulación.

VERDURAS ASADAS CON GUISANTES

Tiempo de preparación:	15 minutos
Tiempo de cocción:	55 minutos
Raciones:	4

500 gr. de boniato pelado y cortado en rodajas gruesas de 1.5 cm. en diagonal.
3 berenjenas baby de 185 gr. cortadas en rodajas gruesas de 2 cm. en diagonal.
2 ramitas de romero, cortar las hojas.
Un chorrito de aceite.
2 calabacines, cada uno cortado en 4 bastones.

1 pimiento rojo, sin semillas y cortado en trozos gruesos.
1 cebolla roja grande, cortada en 8 cuñas.
3 tomates "Roma" (forma ciruela) maduros, partidos en cuatro.
2 cucharadas soperas de vinagre balsámico.
375 ml. de caldo de pollo.
280 gr. de couscous.
425 gr. de guisantes de lata, enjuagados y escurridos.
1 puñado de hierbas mezcladas (cebollinos, albahaca, perejil), cortadas.

1 Precaliente el horno a 180° C. Forre una bandeja grande de horno con papel para hornear o utilice dos bandejas más pequeñas. Coloque el boniato y la berenjena en la bandeja preparada. Añada el romero. Rocíe el aceite y con las manos limpias mezcle las verduras para que se cubran con el aceite. Dispóngalas en una sola capa. Ase durante 15 minutos.

2 Introduzca los calabacines, el pimiento y la cebolla. Rocíe de nuevo con aceite y vuelva a mezclar las verduras para que se cubran con el aceite. Dispóngalas en una sola capa. Ase durante 15 minutos más.

3 Añada los tomates, rocíe el vinagre balsámico (o utilice un pulverizador) y ase todo durante 15 minutos o hasta que todas las verduras estén tiernas.

4 Mientras tanto caliente el caldo en un cazo, cuando esté hirviendo sáquelo del fuego y añada el couscous removiendo constantemente. Tápelo y déjelo aparte durante 3 minutos para dejar que el couscous se hinche. Vuelva a ponerlo a fuego lento y remueva con un tenedor de 2 a 3 minutos para separar los granos. Añada los guisantes y la mayor parte de las hierbas. Sirva las verduras sobre el couscous templado (o a temperatura ambiente). Aderece con las hierbas restantes.

TOFU CON VERDURAS Y FIDEOS

Tiempo de preparación: 15 minutos + 30 minutos marinando

Tiempo de cocción: 15 minutos

Raciones: 4

Adobo

3 cucharadas soperas de salsa vegetariana de ostras.
3 cucharadas soperas de salsa hoisin.
2 cucharadas soperas de salsa de soja reducida en sal.
1 ½ cucharadas soperas de azúcar moreno ligera.
3 cucharadas soperas de jengibre rallado.
3 dientes de ajo, machacados.

300 gr. de tofu sólido, escurrido y cortado en cubitos de 2 cm.
300 gr. de fideos finos al huevo desecados.
1 cucharada sopera de aceite de canola.
4 chalotas asiáticas, cortadas muy finas.
1 pimiento rojo pequeño, sin semillas y en trocitos pequeños.
200 gr. de guisantes de vaina redondeada, pelados.
400 gr. de broccolini, cortado en trozos de 5 cm. de largo.
125 ml. de caldo de verduras o agua.
Hojas de cilantro, para servir.

1 Mezcle los ingredientes del adobo en un cuenco que no sea metálico, añada el tofu y remuévalo todo suavemente. Tápelo y déjelo en la nevera durante al menos media hora, de ser posible más.

2 Haga los fideos siguiendo las indicaciones de su envase y escúrralos. Corte los fideos en trozos más cortos con unas tijeras.

3 Caliente el aceite en un wok grande. Añada las chalotas y el pimiento y saltee durante 2 minutos o hasta que se hayan ablandado un poco. Añada los guisantes, el broccolini y el caldo. Tápelo y déjelo al fuego de 2 a 3 minutos o hasta que las verduras estén tiernas, removiendo de vez en cuando.

4 Añada el tofu con los ingredientes del adobo y los fideos. Mezcle todo removiendo suavemente hasta que se hayan calentado todos los ingredientes. Sirva de inmediato aderezado con las hojas de cilantro.

NOTA: Si no encuentra broccolini puede usar cogollos de brócoli.

LA SOJA SALUDABLE

Al igual que el miso, el tofu, la leche de soja o las propias judías, la soja es uno de los alimentos más saludables que puede incluir en su dieta. Obtendrá valiosos amino ácidos, así como isoflavonoides importantes que ayudan a reducir síntomas de la menopausia tales como los sofocos, y fitosteroles y ácidos grasos esenciales que ayudan a controlar el colesterol.

ENSALADA DE RAVIOLI CON VERDURAS DE PRIMAVERA

Tiempo de preparación: 20 minutos

Tiempo de cocción: 30 minutos

Raciones: 4

375 gr. de ravioli frescos rellenos de espinaca y ricota.
Una coliflor de 200 gr. cortada en cogollos.
200 gr. de brócoli, cortado en cogollos.
155 gr. de espárragos cortados en trozos de 5 cm de largo.
1 taza (155 gr) de guisantes frescos.
100 gr. de hojas de espinaca inglesa baby.

Aliño.
2 dientes de ajo, cortados finitos.
1 cucharada sopera de azúcar.
⅓ de taza (80 ml.) de zumo de lima.
¼ de taza (60 ml.) de vinagre de frambuesa.
1 taza (50 gr.) de cilantro fresco, cortado.

1 Ponga a hervir un cazo de agua con un poco de sal. Añada los ravioli y hágalos hasta que estén *al dente*. Escurra bien.

2 Haga la coliflor, el brócoli, los espárragos y los guisantes por separado al vapor o póngalos en el microondas hasta que estén tiernos y brillantes. Aclárelos en agua fría y escúrralos bien.

3 Coloque los ravioli, las verduras escaldadas y las espinacas en un cuenco y mézclelos.

4 Para hacer el aliño ponga el ajo, el azúcar, el zumo de lima y el vinagre en un cuenco y bátalo todo. Añada el cilantro, viértalo sobre la ensalada y mézclelo para que todo quede cubierto.

postres

PUDÍN DE VERANO

Tiempo de preparación:	20 minutos + 4 horas en la nevera
Tiempo de cocción:	2 minutos
Raciones:	4-6

900 gr. de frutas blandas frescas –grosellas negras, frambuesas, moras y grosellas rojas.
100 gr. de azúcar moreno en polvo.
50 ml. de cassis, licor de frambuesa o agua.
16 rebanadas (aprox.) medianas de pan integral (evite pan con semillas y de grano entero).
6 cucharadas soperas de yogurt desnatado "bio" o queso fresco desnatado.

1 Utilice un bol para pudín o un cuenco de 1.5 l. de volumen (aprox.). Un bol de pudín tradicional es el recipiente con la mejor forma ya que no es ni muy ancho ni muy alto como para que el pudín se desmorone al sacarlo. Forre el cuenco con film transparente para que sea más fácil sacar el pudín.

2 Quite el tallo a las frutas si es necesario y acláralas en agua fría. Coloque las frutas en un cazo grande con el azúcar y el cassis o el agua. Remueva un poco a fuego lento hasta que el azúcar se disuelva, llévelo a ebullición y deje hervir durante sólo 1 minuto. Apártelo para que enfríe.

3 Quite la corteza de las rebanadas de pan de manera que queden recortadas en cuadrados. Córtelo en triángulos y forre con ellos el bol de pudín, remojando un lado del pan en el líquido de las frutas. Disponga los triángulos alrededor del bol con la parte remojada hacia fuera. Asegúrese de que las rebanadas se ajustan cómodamente unas junto a otras para que no haya huecos. Ponga la fruta y el líquido en el medio del bol de pudín y cúbralo con más pan. Tápelo con un plato que se ajuste cómodamente encima del bol boca abajo con unas latas o un objeto pesado encima, y déjelo en la nevera durante al menos 4 horas. Colóquelo sobre un plato para que recoja el jugo que pueda derramarse.

4 Cuando esté listo para servir, tire un poco del film transparente hacia fuera para que se deshaga el vacío. Coloque un plato con un borde capaz de retener los líquidos que salgan de la parte de arriba del bol y dé la vuelta al bol sobre el plato. Sírvalo con yogurt desnatado "bio" o con queso fresco desnatado.

TARTA DE PLÁTANO Y ARÁNDANOS

Tiempo de preparación:	30 minutos
Tiempo de cocción:	25 minutos
Raciones:	6

Un chorrito de aceite para cocinar.
1 taza (125 gr.) de harina común.
½ taza (60 gr.) de harina con levadura.
1 cucharita de cinamomo molido.
1 cucharita de jengibre molido.
40 gr. de mantequilla, en trocitos.
½ taza (95 gr.) de azúcar moreno ligera.
½ taza (125 ml.) de suero de leche.
200 gr. de arándanos.
2 plátanos.
2 cucharitas de zumo de limón.
1 cucharada sopera de azúcar moreno.

1 Precaliente el horno a 200° C. Unte una bandeja de horno o una bandeja para pizza con aceite. Tamice las harinas y las especias en un cuenco. Añada la mantequilla y el azúcar y mezcle todo hasta que adquiera el aspecto de migas de pan. Abra un hueco y a continuación añada el suero de leche suficiente como para que la mezcla se convierta en una masa ligera.

2 Estire la masa en una superficie un poco enharinada hasta obtener un círculo de 23 cm. de diámetro. Colóquela en la bandeja y enrolle el borde para obtener una pequeña pared que sostenga la fruta en el interior.

3 Esparza los arándanos sobre la masa, sin que se salgan. Corte los plátanos en rodajas, mézclelos con el zumo de limón y a continuación dispóngalos encima del arándano. Espolvoree el azúcar y hornee durante 25 minutos o hasta que la base esté dorada. Sirva enseguida.

¿QUIÉN DIJO QUE DARSE UN GUSTO NO PODÍA SER SALUDABLE?

Si se toman las decisiones adecuadas hasta el postre puede desempeñar un valioso papel en su dieta contra el envejecimiento. Compruebe el poder nutricional en nuestra selección de placeres dulces:

• El cacao y el chocolate proporcionan antioxidantes valiosos, y el consumo habitual de chocolate se asocia a la reducción del riesgo de enfermedades cardiovasculares. Para obtener mayores beneficios para su salud, elija chocolate con un porcentaje alto de cacao y bajas cantidades de grasas saturadas.

• Las nueces constituyen una fuente extraordinaria de vitamina E, y a diferencia de la mayor parte de los frutos secos contiene los ácidos grasos esenciales omega 6 y omega 3. Estos factores nutricionales son la razón por la que el incluir nueces en la dieta se relaciona con bajos niveles de colesterol.

• Al igual que otras bayas, los arándanos tienen componentes muy valiosos que ayudan a proteger y reforzar los vasos sanguíneos, y pueden ayudarle a evitar la demencia senil y las enfermedades cardiovasculares y a prevenir el cáncer.

SORBETE DE MANDARINA

Tiempo de preparación: 5 minutos
Tiempo de cocción: 7 minutos y 8 h. de congelador
Raciones: 4-6

10 mandarinas.
125 gr. (½ taza) de azúcar en polvo.

1️⃣ Exprima las mandarinas para hacer un zumo de 500 ml. (2 tazas) y cuélelo. Coloque el azúcar y 250 ml. de agua (una taza) en un cazo pequeño. Remueva a fuego lento hasta que el azúcar se haya disuelto, a continuación deje que hierva a fuego lento durante 5 minutos. Sáquelo del fuego y enfríe levemente.

2️⃣ Vierta el zumo de mandarina en el sirope de azúcar, a continuación pase todo a una bandeja de metal llana. Congélelo durante dos horas o hasta que esté congelado. Páselo a una picadora y bátalo hasta que esté medio derretido. Vuelva a ponerlo en el congelador y repita el proceso 3 veces más.

BROWNIES CON NUECES

Tiempo de preparación: 10 minutos
Tiempo de cocción: 15 minutos
Unidades: 24

85 gr. (2/3 de taza) de harina con levadura.
85 gr. (2/3 de taza) de cacao en polvo.
250 gr. (1 taza) de azúcar en polvo.
330 gr. de mantequilla sin sal, derretida.
4 huevos, un poco batidos.
1 cucharita de esencia de vainilla.
250 gr. (1 ½ tazas) de chocolate negro.
Trocitos de chocolate (Chips de chocolate)
125 gr. (1 taza) de nueces en trocitos.
Azúcar glaseada para espolvorear.

1️⃣ Precaliente el horno a 180ºC. Forre una bandeja de horno llana con papel para hornear, dejando que se salga por los dos extremos del largo de la bandeja.

2️⃣ Tamice juntos la harina y el cacao y a continuación añada el azúcar. Haga un hueco en el centro y añada la mantequilla, los huevos y la vainilla y bátalo hasta que quede sin grumos. Introduzca los trozos de chocolate y las nueces.

3️⃣ Vierta la masa en la bandeja y deje la superficie homogénea. Póngalo al horno durante 25 minutos o hasta que al pincharlo la brocheta salga limpia. Déjelo en la bandeja durante 10 minutos, luego páselo a una rejilla de alambre para que enfríe. Espolvoree el azúcar glaseada.

índice de recetas

Texto y selección de recetas de Jayne Tancred (Naturópata, Diplomada en nutrición, Diplomada en Medicina botánica, Diplomada en Homeopatía).

IMPORTANTE: Aquellas personas que puedan correr riesgos con respecto a los efectos de la salmonelosis (las personas mayores, las embarazadas, los niños pequeños y las personas que padecen enfermedades inmunodeficientes) deberían consultar a su doctor cualquier preocupación que tengan en cuanto a comer huevos crudos.

GUÍA DE CONVERSIÓN: Puede descubrir que los tiempos de cocción varían en función del horno que esté usando. En caso de usar hornos con de convección por aire ponga, por regla general, la temperatura a 20° C. menos de lo que se indica en la receta. Hemos utilizado medidas de 20 ml. (4 cucharadas), si usted utiliza una cucharada sopera de 15 ml. (3 cucharitas) en la mayoría de las recetas a penas se notará la diferencia. No obstante, para las recetas en las que se utiliza levadura

en polvo, gelatina, bicarbonato de soda, pequeñas cantidades de harina y harina de maíz (almidón de maíz), añada una cucharita extra por cada una de las cucharadas soperas requeridas.

A pesar de que se ha hecho un esfuerzo para asegurarnos de que la información contenida en esté libro esté lo más actualizada posible, los conocimientos médicos y farmacológicos se hayan en continuo cambio. Se recomienda a los lectores que consulten a un médico especialista cualificado para que les asesore individualmente. La autora, el editor y la editorial de este trabajo no se hacen responsables de los errores u omisiones, o acciones que pudieran considerarse como consecuencia de la información contenida en este libro.